D1090046

AUX ÉDITIONS SALVATOR

Jean-Marie AUBERT

Vivre en chrétien au XXe siècle
Tome 1 : Le sel de la terre
Tome 2 : L'engagement du chrétien
(la sexualité — l'économie — la politique)

Dans la collection « Transmettre l'Espérance »

Stan ROUGIER

L'avenir est à la tendresse

Georges HOURDIN

Ce qui m'étonne, dit Dieu, c'est l'Espérance
(Journal)

Vincent AYEL

Chrétiens à la recherche de leur identité
(Avenir de la Vie religieuse)

Jacques HAMAIDE

L'Espérance au cœur d'une Cité
(Expérience d'une équipe pastorale)

Michel SINNIGER

Espérer c'est agir

Henri DEROUET

Journal d'un Evêque

René COSTE

Pluralisme et Espérance chrétienne

Henri BOURGEOIS

Plus loin que demain
(Le changement et l'Eucharistie)

Gaston PIÉTRI

Serviteurs de la Parole
(Les animateurs en catéchèse et leurs raisons d'agir)

XAVIER THÉVENOT

REPÈRES ÉTHIQUES

pour un monde nouveau

ÉDITIONS SALVATOR
1982

L'éditeur remercie les revues de leur aimable autorisation pour la reproduction des articles du Père Xavier THÉVENOT. Dans l'ordre cité :
— *LAËNNEC* — 12, rue d'Assas — 75006 Paris.
— *PRÊTRES DIOCÉSAINS* — 179, rue de Tolbiac — 75013 Paris.
— *COR UNUM* — Groupes Evangile et Mission, 202, Avenue du Maine — 75014 Paris.
— *CHOISIR* — 18, rue Jacques-Dalphin — CH 1227 CAROUGE/Genève.
— *MÉDECINE DE L'HOMME* — 14, rue d'Assas — 75006 Paris.
— *FEMMES ET MONDES* — 7, rue du Landy — 92110 Clichy.
— *RECHERCHES, CONSCIENCE CHRÉTIENNE ET HANDICAP* — 53, rue de Babylone — 75007 Paris.
— *CONCILIUM* — Prius Bernhardstraat 2, 6521 AB Nijmegen (Hollande).
— *DON BOSCO AUJOURD'HUI* —393*bis*, rue des Pyrénées — 75020 Paris.
— *ÉTUDES* — 15, rue Monsieur — 75007 Paris.

Imprimatur : Strasbourg, le 4 août 1982
R. SCHEDER, Vicaire Général

ISBN 2-7067-0078-5

Avant-propos

Cet ouvrage tente de proposer quelques repères éthiques pour un monde nouveau. Il est né d'un constat: beaucoup de chrétiens sont actuellement désarçonnés par les mutations profondes des mœurs qui s'opèrent autour d'eux. Ils ont l'impression que les règles de conduite apprises dans leur jeunesse ne sont plus opératoires. Bien plus, ils finissent parfois par se demander si l'Eglise peut et même doit encore tenir un discours moral. Aussi la tentation se fait-elle forte de se réfugier dans un scepticisme radical: «à quoi bon la morale»?

Pourtant, du sein de ce désarroi, surgit peu à peu une requête qui montre que l'on ne se débarrasse pas si facilement que cela de la morale. Celle-ci en effet ne cesse de resurgir en chaque personne sous la forme de questions profondes: est-ce que je deviens plus moi-même? Suis-je en train d'accueillir le Royaume de Dieu? Que penser du comportement des jeunes qui m'entourent? Les découvertes scientifiques dans le domaine de sexualité, de la biologie, de l'éducation... vont-elles vraiment mener à un progrès humain?... Autant d'interrogations qui un jour ou l'autre font prendre conscience que nul n'échappe à la morale avec sa question radicale: comment faire pour devenir plus homme dans le monde qui est le nôtre?

Ce livre représente, en quelque sorte, une modeste tentative pour répondre à cette question à propos de *quelques* problèmes précis. Il est l'expression d'une triple conviction:

— la réflexion morale a tout à gagner d'une prise en

compte des recherches des *sciences humaines* contemporaines. C'est pourquoi, chaque chapitre essaie de tenir compte de certaines données anthropologiques.

— il est possible sur chaque question étudiée de donner des *repères assez fermes,* tout en étant conscient qu'aucun de ces repères ne doit être absolutisé.

— la *foi chrétienne* est une réalité particulièrement éclairante dès qu'il s'agit de discerner quels sont, dans tel ou tel domaine de la vie, les chemins d'humanisation.

Le lecteur doit cependant être averti des *limites* de cet ouvrage. Tout d'abord il n'aborde pas des questions touchant l'économie, la politique, la justice sociale, etc. Ce n'est pas par manque d'intérêt. Bien au contraire. Je pense que l'avenir de l'humanité se joue d'abord dans la façon dont seront abordés les grands problèmes sociaux actuels: sous-développement, nouvel ordre économique mondial, équilibre de la terreur... Mais pour traiter de ces questions, il faut une compétence que je ne possède pas. Le moraliste, sous peine d'errer, doit reconnaître ses limites et ne parler que dans les domaines où sa connaissance est suffisamment sérieuse.

Une deuxième limite de l'ouvrage vient de sa constitution. Il est composé d'un *recueil d'articles* écrits entre 1975 et 1982. D'où une assez grande *diversité.* Diversité dans le style des chapitres: certains d'entre eux sont tirés de revues spécialisées, d'autres sont des retranscriptions de conférences et en gardent le style oral. Diversité dans la technicité: certains chapitres sont destinés à un grand public et représentent une vulgarisation de recherches anthropologiques; d'autres au contraire sont écrits pour des lecteurs qui possèdent déjà une certaine formation théologique. Diversité enfin dans les thèmes traités: réflexion éthique sur le couple, accueil des homosexuels, liturgie et morale, etc.

Cependant, à travers cette apparente diversité, il existe je crois, une véritable *unité.* Le lecteur ne manquera pas de découvrir en effet que plusieurs idées-forces s'illustrent à travers chacun des chapitres:

— l'être humain est un être radicalement limité ou, pour employer des termes plus philosophiques, l'homme est foncièrement marqué par la *finitude*. Il n'existe de libération vraie que celle qui prend acte de cette finitude radicale. C'est dire que le chemin de liberté est toujours un chemin où l'on apprend à reconnaître que l'on n'est tout-puissant ni dans la constructivité ni dans la destructivité;

— limité par des conditionnements parfois considérables (somatiques, psychiques, sociaux), l'homme garde toujours une *« zone » de liberté* qui lui permet de croître en humanité. Il n'est de véritable liberté que celle qui prend pleinement en compte le réel dans toute son ambiguïté, voire dans ses contradictions;

— l'agir moral est toujours régulation de conflits de valeurs. S'humaniser c'est refuser le double purisme du « tout ou rien » et du « tout, tout de suite ». C'est en définitive quêter son humanité dans les *compromis* des décisions toujours imparfaites et dans la *lenteur* du temps. C'est pourquoi humilité et patience sont au cœur de toute vie morale.

— Toute vraie rencontre avec Dieu s'opère nécessairement à travers *la médiation* de la rencontre de l'homme. Aussi de nombreuses pages de ce livre s'efforcent-elles de regarder bien en face la condition humaine et de montrer que c'est à travers, et à travers seulement, cette épaisseur humaine que Dieu se laisse « voir » et « toucher ».

— Tout être humain si perturbé ou si pécheur soit-il, est appelé à la sainteté. Telle est peut-être une des affirmations les plus centrales du christianisme: Dieu n'enferme jamais quelqu'un dans un échec. Puissent donc ces pages aider le lecteur à faire sienne toujours davantage cette bonne nouvelle que le Christ nous a laissée: *Dieu est un donneur d'avenir.*

Paris, 15 août 1982.

1re PARTIE

Questions d'anthropologie sexuelle

DANS UN MONDE NOUVEAU, UNE NOUVELLE MORALE POUR LE COUPLE ? [1]

L'idée qu'il existe une forme fixiste du couple et de la famille est une idée naïve. Si nous avons tendance à l'oublier, historiens et sociologues nous le rappellent avec vigueur. M. Ariès [2], par exemple, montre que « dans nos sociétés traditionnelles, c'est-à-dire en gros avant le XVIIIe siècle, l'amour n'était pas nécessaire au mariage ». *L'amour ne préexistait pas au mariage* mais était, le plus souvent, une construction lente et continue réalisée après le mariage. Les raisons de se marier étaient d'abord *la procréation et le compagnonnage.* De plus, à une grande réserve sentimentale correspondait un *érotisme très sommaire.* Puis, à partir de la fin du XVIIIe siècle, le mariage a été colonisé par l'amour passion, l'amour romantique. Un modèle d'amour qui se nourrissait de la durée a été silencieusement remplacé par un amour pour lequel la durée était une épreuve. Sans même se référer aux travaux des historiens qui travaillent sur des périodes

1. Ce chapitre reprend une conférence faite au Centre Laënnec le 22 novembre 1978 (in *Laënnec* Hiver 1979-1980).

2. Cf. *Le couple et le risque de la durée,* ouvrage collectif. Desclée 1977, pages 102 et suivantes.

longues, force est bien de constater, après avoir jeté un regard sur les événements de ces dernières décennies, que la façon de concevoir et d'investir le couple est en train de se modifier. Parmi les multiples causes de ce changement, citons *un nouveau type d'investissement du temps.* Celui-ci est moins perçu comme ce qui permet la répétition mais davantage comme ce par quoi se manifestent l'imprévu et la rupture, comme ce qui est à vivre avec le maximum d'intensité dans l'immédiateté. Ce rapport nouveau au temps est d'autant plus considérable que *l'espérance moyenne de vie* a beaucoup augmenté. Le couple se retrouve avec une espérance de longévité de cinquante ans (un demi-siècle!), qui va poser des problèmes. Après vingt-cinq ans de vie commune sous le regard des enfants, vingt-cinq ans qui ont souvent érodé l'enthousiasme des premières rencontres, le couple va devoir affronter vingt-cinq ans dans un nouveau face à face. Cela ne va pas de soi!

La place nouvelle de la femme est aussi un facteur important de l'évolution de l'image du couple. Les rôles classiques du père et de la mère sont à redéfinir. L'exercice des pouvoirs, les facultés de décision au sein des couples ne sont plus les mêmes. A cela, il faut ajouter *le nouveau rapport au corps sexué et au plaisir,* qui surgit depuis quelques années. Ce nouveau rapport a de multiples causes: socio-économiques, idéologiques, spirituelles..., qu'il est impossible de passer en revue. Signalons tout de même un phénomène dont on ne peut sous-estimer l'importance: pour la première fois dans l'histoire de l'humanité, le couple dispose de moyens sûrs et relativement satisfaisants pour contrôler sa fécondité. On imagine facilement les modifications apportées par un tel pouvoir. Désormais, on peut facilement dissocier les trois éléments qui étaient jusqu'ici associés dans la rencontre sexuelle: le plaisir, la relation, la fécondité. Désormais, le couple est acculé à réfléchir à ces questions dont on sait qu'elles mettent profondément en jeu des forces inconscientes. C'est une nouvelle circulation de la parole entre les partenaires qui est impliquée par le pouvoir contraceptif. C'est aussi un nouveau rapport à l'érotisme, avec l'inévitable remise en question des modèles sociaux et religieux que la nouvelle perception du corps entraîne.

Nouveau rapport au temps, au corps, au plaisir, à la fécondité, mais aussi *nouveau rapport à une société* investie à la fois comme «bonne mère» et «mauvaise mère». «Bonne mère», en ce sens qu'elle est chargée d'apporter les sécurités que l'individu ne peut se procurer tout seul. «Mauvaise mère», parce qu'elle est ressentie comme une institution qui «dévore» les énergies et accule à une vie plus ou moins insensée, se jouant dans le fameux binôme si desséchant: «boulot-dodo». Le couple qui, désormais, n'est plus unité de production, est considéré plutôt comme le lieu réparateur des agressions sociales, comme le lieu de la vraie vie, à la limite comme le nid où chaque individu est susceptible de développer pleinement toutes les dimensions de sa personnalité.

Tous ces changements se manifestent dans des comportements éthiques qui sont relativement nouveaux par rapport à ce qui se passait il y a quelques années. Un nombre considérable de jeunes commencent par cohabiter en couple avant de se marier. Une certaine méfiance s'instaure quant à la possibilité de durée du couple. Plutôt que souhaitée, l'institution du mariage est assez souvent subie pour permettre une meilleure insertion sociale. Les divorces légaux sont de plus en plus fréquents: un divorce sur huit mariages environ. La baisse de natalité est considérable. Une grossesse sur trois environ se termine par un avortement... Bref, la morale vécue par les jeunes en couples change. Bien plus, certains disent: «Fichez-nous la paix avec votre morale. Laissez donc chacun réinventer le couple en suivant ses intuitions. Nul n'est mieux placé pour savoir ce qui rend heureux que celui qui doit, dans le concret des situations, construire sa vie. Et puis, donnez-nous le droit à l'erreur...!»

Face à ces réflexions, face à cette nouveauté du monde, la morale chrétienne, et spécialement la morale conjugale des chrétiens, apparaît souvent comme une masse statique de préceptes peu réalistes qui, au mieux, s'avèrent inefficaces et, au pire, se révèlent écrasants, voire aliénants. La morale chrétienne est-elle donc purement idéologique? Les chrétiens sont-ils donc condamnés à *l'immobilisme éthique,* cet immobilisme qui fait tant sourire les non-chrétiens? Cette morale n'est-elle pas dépassée ou à dépasser parce que ses soubassements philosophiques sont totalement démodés? Par exemple, l'Eglise ne croirait-elle pas encore à une nature humaine bien figée? L'Eglise, dit-on, aurait toujours une philosophie de retard. Elle n'aurait pas encore intégré les découvertes des philosophies modernes, notamment les découvertes de l'historicité de toutes choses, qui nous rappelle que «tout est en devenir». L'Eglise se refuserait à l'évidence devant les découvertes des sciences humaines qui dévoilent l'ampleur des conditionnements sociaux (cf. les marxismes et les ethnologies), des conditionnements psychologiques (cf. Freud et ses disciples) et des conditionnements somatiques (cf. Reich, Lowen, et les sexologues...).

Nous voilà donc acculés à nous poser des questions de fond, devant la contestation pratique de la morale traditionnelle. La foi chrétienne implique-t-elle un modèle déterminé de couple? Peut-on imaginer que la morale conjugale chrétienne change en profondeur et en quoi? Pour élaborer une réponse qui sera ici nécessairement sommaire, il nous faut d'abord réfléchir, sur ce qu'est la morale et sur ses trois dimensions.

La morale et ses trois dimensions

Commençons par un constat qui déplaît parfois: *nul ne peut se passer de morale,* c'est-à-dire d'un champ de valeurs, dit ou non dit, auquel se référer pour construire sa vie. Toute personne, tout groupe, toute société met en œuvre un certain nombre de règles, d'idéaux, d'interdits, qui lui permettent de se structurer et de s'acheminer peu à peu vers ce qui lui paraît être l'état le plus souhaitable. Cet ensemble éthique est quelquefois très élaboré et fortement explicité. C'est le cas, je pense, de la morale chrétienne. Mais, d'autres fois, le système moral est purement implicite. Ce n'est pas pour autant qu'il exerce moins sa pression. Je dirais même que plus un système de références est non dit, plus il a des chances d'être prégnant, parce qu'on a moins de possibilité de recul critique par rapport à lui. Ainsi, dans le domaine qui nous préoccupe, chacun d'entre nous a une certaine idée de ce que devrait être un couple réussi, une sexualité épanouie, une relation affective satisfaisante. Chacun d'entre nous ressent en lui des exigences auxquelles il pense devoir se soumettre pour se réaliser. Et c'est tant mieux, car rien n'est plus destructurant pour un individu ou un groupe que d'être jeté sans boussole, sans point de repère, dans un désert normatif, je veux dire dans un lieu où tout est indifférencié, où tout est supposé se valoir. Se repérer à des normes, même si c'est pour s'y opposer ou les transgresser, est structurant. S'opposer, c'est déjà se situer!

Une morale est donc le passage obligé de toute existence. Mais la morale elle-même n'est pas et ne doit pas être un objet massif et indifférencié à «avaler tout rond». Au sein même de la morale, il y a des différences. C'est le fait de ne pas prendre en considération ces différences, de ne pas savoir articuler les différentes dimensions de la morale, qui conduit à des impasses et fait finalement rejeter en bloc la réflexion morale. Expliquons-nous plus clairement en commençant par dire ce que se propose la morale et notamment la morale chrétienne.

La morale se propose, je crois, de réfléchir sur les conditions et sur les chemins qui permettent à tout homme pris dans sa réalité, de devenir, avec les autres, pleinement homme. La visée dernière de la morale, c'est donc *le bonheur* de la personne, c'est le développement le plus harmonieux possible de tout l'homme et de tous les hommes. Se moraliser, c'est finalement et en principe chercher à réaliser, autant qu'il est possible, toutes ses dimensions de personne vivante en société. La morale chrétienne, quant à elle, a exactement la même visée que la morale non chrétienne, à savoir le bonheur. Mais le moraliste chrétien a cette certitude que la quête du bonheur est favorisée par la reconnaissance de Dieu, du Dieu de Jésus-Christ. Bien plus, le chrétien sait que le bonheur de l'homme, la vraie vie de l'homme, se réalisent dans le lien mutuel d'amour entre lui et Dieu, son Créateur et son Sauveur. On le voit quand un moraliste prescrit, interdit, présente des valeurs, ce qu'il recherche, s'il n'est pas pervers, c'est que chaque personne puisse trouver balisé le chemin de son épanouissement ou de ce qu'il pense être son épanouissement. Cela nous conduit immédiatement à distinguer les trois dimensions de la morale que j'annonçais plus haut.

La dimension universelle

Suivant cette dimension, la morale s'efforce, en tenant compte des *invariants* qui existent en tout homme, de dégager des préceptes premiers qui exerceront leur pression continuelle sur l'agir concret. Par exemple : Respecte l'autre, aime ton prochain comme toi-même. En Christ il n'y a plus ni homme ni femme...

On le devine, ces préceptes sont valables universellement pour toute société de tout temps et de tout lieu. Il faut donc s'attendre à ce qu'*ils ne changent pas*. Ils sont au-dessus du temps. Ainsi, on peut penser que le commandement de l'amour restera toujours pour la morale chrétienne le premier précepte. Mais, en même temps, ces préceptes premiers, à la limite, sont vides, sans contenu. « Aimer » ne me dit rien sur la façon de construire cet amour dans la société et dans le couple. Par exemple, aimer est-ce ne jamais divorcer ou, au contraire, divorcer en cas d'échec du couple ? Est-ce se refuser à des relations préconjugales ou vivre un mariage à l'essai ? Cette dimension universelle de la morale est donc nécessaire mais insuffisante. Nécessaire, elle l'est comme toute « utopie » mobilisatrice. Convoqué à aimer, je suis provoqué à chercher sans cesse à purifier ma vie de ses centrations excessives sur elle-même. Mon imagination est stimulée pour inventer toujours plus ma façon d'aimer. Mais insuffisante, la dimension universelle l'est dans la mesure où elle peut enfermer les personnes dans un faux prophétisme qui s'imagine changer les choses parce qu'on a changé les idées ou la hiérarchie des valeurs. Il ne suffit pas de proclamer à voix haute l'égalité des personnes pour que celle-ci se fasse. Il ne suffit pas d'être le défenseur en paroles du respect de la vie pour que celui-ci soit obtenu. C'est pourquoi la morale doit toujours être munie d'une deuxième dimension.

La dimension particulière

Sous cet aspect, la morale va s'efforcer de rechercher non plus l'idéal utopique de l'humanité mais ce qui, dans telle société donnée, permet habituellement de construire la paix, l'amour, l'épanouissement... Autrement dit, la morale particulière cherche à donner chair aux préceptes premiers de l'amour en construisant des *normes concrètes.* Voici, dit par exemple le moraliste, ce qu'il est bon habituellement de faire si tu veux t'épanouir en couple ou en société : ne divorce pas, parle dans ton couple... Trois constats s'imposent alors :

• Le premier est que ce sont les hommes qui élaborent les normes concrètes. Elles ne tombent pas du ciel, même si elles concernent le ciel. Ces normes s'élaborent peu à peu au contact des leçons de l'expérience dans telle conjoncture socio-culturelle précise. Elles viennent comme le fruit d'une expérimentation faite en lien continuel avec les convictions de fond dont nous avons parlé tout à l'heure. Donc, les lois éthiques, y compris celles de l'Eglise, n'ont généralement été formulées qu'après coup, lorsque tel comportement institué était perçu comme conforme aux valeurs visées et pour nous autres chrétiens aux exigences évangéliques.

• Le deuxième constat est que, sous cet aspect particulier, la morale n'est ni éternelle ni universelle. Plus elle touche le particulier, plus la morale est soumise au choc du temps et des cultures, plus elle peut être frappée de *caducité.* Des exemples nombreux nous le prouvent. Ne citons que celui-ci : au Moyen Age, les théologiens considéraient comme péché mortel le fait pour un homme d'avoir une relation sexuelle avec son épouse quand celle-ci était enceinte. Cela nous conduit au troisième constat illustré justement par cet exemple.

• L'élaboration des normes est soumise à un certain aléa parce que cette élaboration se fait par des personnes ou des groupes soumis à des idéologies, à des erreurs scientifiques, à des pressions intérieures et extérieures. Une norme a toujours besoin de montrer son efficacité pour pouvoir se maintenir.

La dimension singulière

Reste enfin une troisième dimension de la morale: la dimension singulière. Par singulier, je désigne ce que chaque réalité et notamment chaque personne a *d'unique au monde.* Il est évident que, sous peine d'irréalisme, la morale doit prendre en compte l'unicité de chaque personne, de chaque situation humaine. La morale recherche alors ce qui s'avère effectivement possible dans telle situation concrète donnée. Par exemple, un des conjoints d'un couple hétérosexuel se découvre homosexuel, que va-t-il devoir faire pour construire sa vie affective en respectant celle de sa femme?

Il s'avère qu'au plan singulier, la morale est sans cesse en train de gérer des conflits. Conflit entre des normes qui ne peuvent être toutes observées en même temps. Aussi, suivant cette dimension, le moraliste est-il obligé de «se salir les mains» sous peine de n'avoir pas de mains. La morale, dans sa dimension singulière, est le lieu d'inévitables et difficiles compromis, à la limite de la compromission. Notamment, elle est obligée de tenir compte du facteur *temps.* Le «Tout, tout de suite» est profondément immoral. Le vrai moraliste sait donc que l'approche d'un idéal suppose des passages parfois longs par l'erreur et la transgression. Les errances font partie de la construction de la personne, même si elles présentent en même temps des côtés aliénants. C'est pourquoi la qualité principale d'un moraliste est la *patience* qui sait tolérer l'imperfection des conduites pour mieux les parfaire.

Voilà donc les trois dimensions de la morale qu'il faut toujours bien *articuler ensemble* si l'on veut se construire.

S'enfermer dans la dimension universelle, c'est se condamner à un prophétisme imaginaire et inefficace qui provoque inévitablement un jour la désespérance. Se contenter de la dimension particulière, c'est s'emprisonner dans un légalisme desséchant et aliénant ; or, l'homme est vie et non pas loi. Se réfugier dans le singulier c'est être myope, c'est ne pas prendre au sérieux la dimension collective de toute conduite, c'est finalement se vouer à la vaine solitude et à la violence parce que c'est nier le semblable.

Ainsi, il est vrai et faux à la fois de dire que la morale change et ne change pas. Tout dépend en fait de la dimension de la morale que l'on vise en parlant de changement.

Alors, à monde nouveau, nouvelle morale conjugale chrétienne ? Oui, si l'on veut dire que chacun, que chaque couple, est sollicité à *inventer* le modèle concret de conduite qui, dans la société française de la fin du XXe siècle, le construira le mieux. Inventer, cela signifie effectivement construire du pas encore trouvé. Mais cela peut signifier aussi découvrir du déjà-là qui était parfois caché ou occulté. Je pense en effet qu'on ne peut pas dire qu'il y ait une morale chrétienne conjugale radicalement nouvelle si l'on veut dire par là que cette invention dont je viens de parler est à faire sans points de repère préalables. Ce sont *ces points de repère* valables pour aujourd'hui, et qui sont proposés par la morale conjugale chrétienne, que je voudrais maintenant exposer.

Points de repère éthiques pour une vie en couple

Dans ce chapitre, il m'est impossible de justifier longuement les affirmations qui vont être miennes. Disons que celles-ci se dégagent de la fréquentation de la Parole de Dieu lue dans l'expérience de nombreuses personnes et dans la Tradition Biblique et Ecclésiale. A ce propos, rappelons que la Bible ne prétend pas élaborer de façon bien construite une éthique sexuelle. Celle-ci s'est formée peu à peu pour répondre aux questions pratiques que se posaient les communautés juives et chrétiennes. Si bien qu'il n'est pas toujours facile de savoir avec certitude ce que la Bible elle-même considère comme caduc ou comme quasiment définitif.

Regardons donc ensemble les *convictions de la foi chrétienne* dans le domaine de la sexualité. Même si ces convictions ne sont pas nécessairement propres au christianisme, disons qu'elles sont tenues fermement par lui.

La sexualité n'est pas une réalité secondaire

La sexualité est signalée d'emblée par la Bible comme une dimension constitutive de la créature de Dieu. « Dieu créa l'homme à son image... homme et femme il les créa ». La sexualité n'est donc pas, aux yeux des chrétiens, une réalité seconde en surplus d'une nature humaine asexuée. Elle est une dimension radicale de l'existence personnelle et sociale. Aussi, la Bible nous fait-elle comprendre que la façon de réguler la vie sexuelle est très importante pour s'humaniser. La sexualité bien vécue peut contribuer à construire l'homme et la femme ; mal vécue, elle peut briser beaucoup de choses.

Le christianisme s'inscrit donc en faux contre certains courants actuels qui voudraient banaliser de façon outrancière la sexualité et l'exercice de la génitalité et déclarer anodins les écarts sexuels ou les échecs relationnels. La sexualité, qui ne doit pas être survalorisée, est en fait une réalité où se joue fortement la glorification ou la non glorification de Dieu.

Le couple relativisé par l'Evangile

A notre époque où le couple est considéré à l'excès comme une valeur refuge, il serait bon de revenir à cette conviction chrétienne : le couple et la famille ne sont pas le tout de la vie sexuée. Comme toutes les autres réalités terrestres, comme l'argent, comme le pouvoir, comme la violence, comme la vie sur cette terre, le couple est marqué par la force de la relativisation évangélique. En ce sens tout d'abord qu'une autre façon de vivre la vie sexuée est reconnue, celle du célibat. En ce sens aussi que tout chrétien doit être capable, pour accueillir le Royaume de Dieu, de quitter père, mère et de ne pas absolutiser les liens entretenus avec le conjoint et avec les enfants. La famille n'est pas secondaire, mais elle est seconde par rapport aux urgences de la solidarité qu'exige l'annonce de la Bonne Nouvelle aux opprimés, aux «tordus», aux pauvres. La réalité sexuelle nous est donc présentée avec fermeté par le Nouveau Testament comme une réalité ouverte sur quelque chose de plus vaste que la seule famille. Le rêve d'un couple-refuge, d'un couple-nid, est sapé à la base par l'appel du Christ. Plaisir, fécondité, recherche relationnelle, ne peuvent être épanouissants que s'ils s'ordonnent à la quête d'un monde conforme au projet de Dieu, c'est-à-dire un monde qui reconnaisse son Créateur, un monde qui aime.

La loi centrale du couple est celle de l'amour

Cette phrase risque d'être mal comprise si le mot amour connote les seuls sentiments amoureux. Ceux-ci sont évidemment importants, mais ils ne suffisent pas pour définir l'amour. C'est pourquoi je me permets de souligner trois traits de l'amour parmi beaucoup d'autres possibles:

• 1er trait: L'amour promeut les différences

Cela ressort clairement de maints récits bibliques, et notamment du récit qui décrit le premier acte d'amour de Dieu: celui de la création. La création nous est présentée dans la Genèse comme un acte de séparation. Faire que la vie existe, consiste pour Dieu à séparer un chaos indifférencié (le tohu-bohu): Dieu sépare ciel et terre, ombre et lumière, nuit et jour, et enfin homme et femme. Sera donc créatrice toute conduite sexuelle qui accepte ces séparations, qui refuse de s'installer, de quelque façon que ce soit, dans un monde fusionnel indifférencié; qui refuse de nier les différences entre l'homme et la femme, entre les parents et les enfants, entre le passé et le présent, entre le couple et la société. Aimer, c'est vivre de façon à reconnaître le désir de l'autre pour ce qu'il est et non pas pour ce que je voudrais qu'il soit. Si je peux me permettre un néologisme « barbare », je dirais qu'on ne peut former un couple créatif que si chacun des partenaires *altérise* l'autre au lieu de l'altérer. Le dédain et à l'inverse le désir fusionnel altèrent les conjoints. L'amour les altérise, c'est-à-dire les rend toujours plus autres dans la reconnaissance mutuelle.

• 2e trait : Tout amour passe par une forme de renoncement

Les sciences humaines et la foi viennent nous rappeler qu'une relation humaine pour se construire est obligée d'en passer par le renoncement. Renoncement de deux types :

— Renoncement d'abord à l'excès de narcissisme spontané et envahissant qui nous empêche de reconnaître le désir de l'autre dans son originalité. Il est facile d'aimer en l'autre une image rêvée de moi-même. Il est moins facile d'accepter que l'autre me déçoive et m'accule à reconnaître mes propres failles. Pourtant, il n'est de couple possible que dans une reconnaissance minimale des failles de l'autre.

— Renoncement ensuite à son péché, c'est-à-dire à l'exploitation volontaire de ce narcissisme spontané. Jean Lacroix le dit avec bonheur : « Aimer c'est promettre à l'être aimé de ne jamais utiliser un moyen de puissance sur lui. » C'est donc renoncer à nos désirs de posséder l'autre, désirs qui se traduisent par cette expression : « Je l'ai bien eu. » Commencer à aimer, comme nous le rappelle la croix du Christ, c'est aussi commencer à souffrir parce que c'est entrer en lutte contre les forces d'oppression qui sont en nous et en dehors de nous. Le couple n'échappe pas à cette règle. La crise est vitale pour le couple parce qu'elle est le lieu de la renaissance possible de la relation sur des bases plus réelles. Il est des couples qui craquent lors des premières manifestations de la crise. C'est là le signe d'un manque de maturité chez les partenaires qui cherchent à trouver le tout de leur vie dans le tout de suite de l'instant. Cela conduit au troisième trait de l'amour.

• 3e trait : L'amour se construit dans la durée, à travers échecs et réussites

Ce trait se dégage pour un chrétien de l'ensemble du message révélé qui nous demande d'aimer comme Dieu nous a aimés, et nous aime. Or, le Dieu de la Bible, le Dieu de Jésus-Christ, nous est présenté comme un Dieu qui nous aime de façon irréversible dans l'extrême lenteur de nos évolutions et même dans l'errance de nos transgressions.

Il est remarquable que le seul mariage dans la Bible qui soit explicitement pris comme symbole de la rencontre de Dieu et de l'humanité soit celui du prophète Osée avec sa femme qui se prostitue. Autrement dit, ce qui rend l'union de l'homme et de la femme symbolique de la rencontre entre Dieu et l'homme, ce n'est pas la constance dans la réussite mais sa permanence dans l'infidélité de l'un des partenaires et dans la difficulté de communication [3]. Sur un point au moins, il en est d'ailleurs du rapport au conjoint comme il en est du rapport du peuple d'Israël à Dieu. Dans les deux cas, quelque chose du partenaire échappe à l'autre. Dieu dans sa proximité même est ressenti par Israël comme échappant à toute emprise radicale. Il en est de même dans le couple. Chacun, si proche de l'autre devient-il, échappe et doit échapper en définitive à toute image préconçue, à tout savoir définitif. Le couple, par sa durée, est le lieu où chaque personne est acculée à reconnaître sa solitude et sa non-capacité à tout savoir de l'autre, et donc à reconnaître la faille qui l'habite.

Ainsi, la durée est épreuve pour le couple, c'est vrai. Mais, malgré, ou à cause de l'épreuve qu'elle représente, la durée est chance parce qu'elle invite chaque partenaire à avoir foi en l'autre tel qu'il est et à reconnaître qu'il n'est aucune réalité humaine ou divine qui puisse le combler. La durée est ce

---

3. Cf. *Recherches et Débats* n° 74 : Le mariage, engagement pour la vie ? DDB 1971, page 141.

qui permet de découvrir que l'inévitable solitude humaine n'est pas seulement occasion d'angoisse ou de désespérance mais qu'elle est aussi un tremplin pour se relancer dans un effort de communication. La durée, si elle est créative, est, je crois, ce qui permet finalement de se reconnaître de plus en plus comme personne désirante [4]. Cela suppose évidemment qu'en chaque partenaire le terrain soit prêt pour que le désir puisse être creusé, sinon la durée ne devient qu'une chaîne de plus en plus lourde à supporter. La durée est alors mortifère.

Le couple est le lieu où doivent s'articuler les trois fonctions de la sexualité

• La fonction relationnelle

A-t-on suffisamment remarqué que la Bible présente la création de l'attirance sexuelle comme ce qui permettra de mettre fin au sentiment d'abandon de l'homme (Gn 2,18)? La femme sort l'homme de son isolement dans la construction du monde (Gn 2,15). La relation homme-femme est source d'intense jubilation car il y a reconnaissance que tous deux appartiennent bien à la même «chair». Bien plus le mythe du chapitre 3 de Genèse nous montre aussi qu'il n'y a de vrai couple que dans la reconnaissance des différences. Dans le jardin d'Eden, c'est dans le même mouvement que le premier couple reconnaît sa différence sexuelle, la différence entre Dieu et lui, la différence entre les fruits interdits et les fruits autorisés. C'est à vouloir nier ces différences que la différence sexuelle est elle-même mal vécue. C'est alors et alors seulement que la relation homme-femme au lieu d'être source de jubilation est source d'exploitation mutuelle. On retrouve le trait signalé plus haut de l'amour: aimer en vérité, c'est différencier.

• La fonction plaisir

C'est la fonction sans doute première au plan chronologique dans la découverte de la sexualité. Mais c'est aussi la

4. Cf. L. Beirnaert in *Le couple et le risque de la durée,* Desclée 1977, page 167.

fonction que la tradition chrétienne a le plus de mal à prendre en compte. La Bible n'hésite pourtant pas, notamment dans le Cantique des Cantiques, à reconnaître la force érotique qui transit toute rencontre dans le couple.

Là encore, l'anthropologie contemporaine vient nous assurer qu'il ne peut y avoir d'épanouissement humain qu'en donnant une juste place au plaisir. Ce n'est pas facile car le plaisir est par nature ambigu et en même temps réactive toutes nos expériences les plus archaïques. L'on voit bien que l'intégration du plaisir se fait en évitant deux tentations qui toutes deux nous aliènent. Tentation de refuser tout plaisir, car le plaisir accule chacun à reconnaître ses dépendances ! Je jouis par l'autre qu'est mon partenaire et quand je jouis je perds ma maîtrise. Il ne m'est donc possible de jouir que si j'ai foi en l'autre et en moi-même. Le refus du plaisir peut être en définitive un refus plus ou moins conscient de ma non toute-puissance, un refus de me fier, de croire en l'autre. A l'inverse, le plaisir procure un sentiment, éphémère mais réel, de plénitude qui fait oublier le manque qui nous constitue. La deuxième tentation est donc de vouloir saturer mes failles en suraccumulant mes plaisirs et en utilisant à cet effet le partenaire comme objet.

Le plaisir peut donc être une réalité très constructive du couple mais c'est à la condition d'être vécue par un couple qui sait qu'en amour on est toujours trois : les deux partenaires et le manque, même si le plaisir vient momentanément faire oublier le manque.

- **La fonction fécondité**

Celle-ci est importante mais ce n'est pas la toute première à mon avis pour un couple. D'ailleurs, la pratique de l'Eglise le reconnaît implicitement qui considère l'impuissance et non la stérilité comme facteur de non-effectuation (non-validité) d'un mariage. Là encore, la fonction fécondité ne prend sens positif que si elle n'est pas utilisée pour obturer le manque dont vit le couple. Si l'enfant devient la valeur refuge du couple ou le moyen d'occulter ses problèmes, un jour ou l'autre il y a danger fort de détérioration de la constellation familiale. D'ailleurs, et par parenthèse, il faut se rendre compte qu'il est très lourd, voire insupportable pour un enfant ou un adolescent, d'être celui qui est chargé de faire le bonheur des parents.

Ainsi l'épanouissement d'un couple n'est possible que par une saine intégration de ces trois dimensions de la sexualité, ce qui, l'on s'en doute, est très difficile à réaliser. C'est pourquoi, il nous faut faire allusion à l'éclairage que la foi peut apporter dans le devenir concret de la sexualité.

L'épanouissement du couple n'est pas un état,
c'est un devenir.
La foi permet de vivre
ce devenir dans l'espérance

Le couple parfaitement épanoui n'existe pas. Ce qui existe, ce sont des personnes, des couples, toujours en quête d'épanouissement. La régulation de la sexualité n'est jamais faite une fois pour toutes. Le couple est une tâche, tâche qui pour les chrétiens est à mener dans la mouvance reconnue de l'Esprit Saint.

A ce propos, et pour conclure, je signale une condition essentielle pour mener à bien cette tâche, à savoir: *partir du réel.*

La foi saisit l'homme et la femme là où ils en sont. Dieu nous demande de partir de notre réalité psycho-sexuelle telle qu'elle est. Comment faire autrement d'ailleurs? Cela veut dire qu'il faut commencer par prendre acte, avec courage parfois, de l'organisation psycho-sexuelle qui est la nôtre. Pour les uns, ce sera prendre acte qu'ils ont un certain nombre d'inhibitions paralysantes et difficiles à dépasser, ou qu'ils sont incapables, même s'ils en souffrent, d'affronter des relations stables et profondes. Pour d'autres, ce sera prendre acte de leur «structure» homosexuelle, ou encore d'obsessions qui les traversent sans cesse. Pour d'autres encore, ce sera affronter la peur de s'engager, ou le sentiment qu'un mariage n'aurait pas de sens... Bref, chacun de nous est affecté de problèmes, de limites, de carences plus ou moins importantes. Il sera bon alors de se rappeler que Dieu ne confond pas sainteté et perfection. Si Dieu faisait cette confusion, cela signifierait que l'on ne peut être en harmonie avec Lui que si l'on est sans difficultés sexuelles et affectives, que si l'on a une sexualité dite «pleinement équilibrée». Le vrai moraliste chrétien n'est pas «normaliste» en ce sens qu'à ses yeux, même les «tordus» de la vie affective peuvent construire leurs relations à Dieu. Comment? Bien sûr en tentant de dépasser les immaturités quand cela s'avère possible. Mais quand cela s'avère impossible, et c'est souvent le cas, il est encore possible d'utiliser au mieux les carences affectives, relationnelles, sexuelles, pour construire ce qu'il est possible de construire, même si cette construction est limitée.

La prise au sérieux de certaines de nos limites indépassables permet notamment d'accéder à une attitude sans laquelle on ne peut pas construire un couple, à savoir *l'humilité,* qui est non pas la dépréciation de soi mais la sereine acceptation du réel.

Enfin, s'apercevoir que la vie d'un couple est faite de fixations, de progressions, de régressions, de transgressions et d'agressions (!), c'est peu à peu être acculé à *l'humour.* L'humour qui permet une saine distanciation par rapport à soi. L'humour qui évite de dramatiser, de se prendre au sérieux. L'humour, cette vertu si conforme à la relativité que demande l'Evangile. L'humour qui d'ailleurs est si proche de l'amour.

COHABITATION JUVÉNILE, MARIAGE À L'ESSAI, RELATIONS EXTRA-CONJUGALES [5]

La cohabitation avant le mariage et le mariage « à l'essai »

Q. — *Comme moraliste chrétien, que dites-vous de la cohabitation des jeunes, si fréquente aujourd'hui? Surtout, que pensez-vous du mariage à l'essai?*

X.T. — Il n'est pas facile de vous répondre. D'une façon générale, devant toute conduite humaine, avant de porter un jugement, il faut essayer de répondre à la question suivante: *Quel est le sens de cette conduite?* Et cette question est, en fait, double: Quelle est la *direction* de cette conduite, c'est-à-dire vers quoi mène-t-elle, à court terme et à long terme au plan individuel et au plan collectif? Et d'autre part: quelle est la *signification* de cette conduite pour celui qui la vit?

De significations de la cohabitation avant le mariage, il y en a sans doute autant que de couples. Pour les uns, ce peut être une façon d'agresser les parents: « Ceux-ci s'y opposent, nous leur montrerons que nous sommes libres. » Pour d'autres, peut jouer une non-perception de la dimension sociale du mariage: « Nous voulons être sincères avec nous-mêmes; or, nous ne voyons pas le sens qu'aurait un mariage à la mairie, et encore moins à l'église, puisque nous ne savons plus où nous en sommes vis-à-vis de la foi. » Pour d'autres, la cohabitation peut être le symptôme d'une peur devant l'engagement ou devant la durée, voire d'une angoisse profonde. Pour d'autres, la vie ensemble manifeste une volonté de trouver une certaine assurance: telle personne sent, par exemple, qu'elle a des tendances homosexuelles et ne sait pas si celles-ci sont dépassables; la cohabitation est recherchée alors dans

5. Ces pages reprennent le débat qui a suivi l'exposé sur le couple, objet du chapitre précédent (in *Laënnec* Hiver 1979-1980).

le but de vérifier que des relations hétéro-sexuelles lui sont possibles. Pour d'autres, ce peut être la volonté de dépasser certaines inhibitions, ou la peur de l'enfant, ou la volonté d'expérimenter un autre modèle de couple dans la conviction que la forme actuelle du couple est une prison...

Si vous vous posez la question pour vous-mêmes, ou vis-à-vis de certains de vos amis, je vous invite donc à faire un effort de *lucidité* et à rechercher la signification réelle de telle cohabitation envisagée sans perspective actuelle de mariage. Recherchez cette signification *pour autant qu'elle vous soit accessible.* Car on ne peut jamais être totalement sûr de ses propres motivations. Il y a le niveau conscient et le niveau inconscient; le niveau raisonné et le niveau idéologique. Mais on peut toutefois arriver à ne pas être trop dupe; on peut, par exemple, prendre conscience de la distance qui existe entre ce que l'on dit à ses parents, ce que l'on dit à son curé, ce que l'on dit à ses amis... et ce que l'on se dit à soi-même!

Je vous invite aussi à un effort de lucidité sur ce *à quoi mène la cohabitation,* en général, et pour tel couple en particulier. A court terme, cette vie ensemble peut avoir des effets bénéfiques pour les deux partenaires; seuls les moralisateurs veulent nous faire croire qu'une transgression d'interdits n'a que des effets négatifs. Mais, même si à court terme la cohabitation produit un certain nombre d'effets positifs, où cela mène-t-il à long terme? Il n'est pas facile de répondre. Cependant, pour ma part, je crois pouvoir donner *quelques points de repère* à partir de l'expérience de personnes que j'ai écoutées, de la réflexion de ceux qui se sont affrontés à cette question, et aussi à la lumière de ce que dit le magistère catholique (le pape et les évêques).

Mais auparavant, qu'il soit clair que je parle ici de la cohabitation d'un garçon et d'une fille qui ne sont pas encore décidés à se marier, qui vivent ensemble avec un certain projet de durée, mais qui n'excluent pas de se séparer au bout d'un certain temps: donc du *« mariage à l'essai »,* pour distinguer cette question de celle des relations pré-conjugales.

• Il faut d'abord se dire *qu'un essai n'est jamais absolument concluant.* La vie en couple peut très bien « marcher » pendant la période d'essai, et plus du tout à partir du jour où l'on est marié. Pendant la période d'essai, on vit sous le regard de l'autre avec la menace d'une rupture possible ; on risque alors de ne pas vivre en tenant compte vraiment de sa propre constitution psycho-affective et de ses propres désirs, mais en fonction de ce qu'on croit que l'autre attend. Ainsi, j'ai connu des couples qui ont vécu ensemble quatre ou cinq ans, et à partir du jour où ils se sont mariés, « cela n'a plus marché du tout ». Là aussi, l'inconscient fonctionne. Certaines personnes trouvent leur plaisir d'abord dans le fait de transgresser un interdit social. Par exemple, il y a des gens qui ont une vie sexuelle satisfaisante pendant l'essai et se retrouvent impuissants ou frigides à partir du moment où ils se sont liés officiellement à leur partenaire par un mariage... Tout est possible ! Mais, à l'inverse, on voit aussi des gens pour qui la découverte des corps et des personnalités en cette période « d'essai » a été assez fondamentale pour l'équilibre futur de leur couple.

Par ailleurs, les sexologues nous ont appris qu'une des raisons qui aggravaient les symptômes d'impuissance ou de frigidité était l'attitude de spectateurs vis-à-vis d'eux-mêmes que prenaient certains conjoints. On ne peut pas à la fois vivre le moment présent avec plaisir et s'observer en train de le vivre. Il est sans doute possible d'appliquer ce principe au problème des couples vivant un essai. Dans de tels couples, il y a risque que les partenaires, au lieu de se laisser aller à vivre leur relation présente dans son intensité, se posent comme spectateurs d'eux-mêmes pour savoir « comment ça va évoluer ». D'où, parfois, des problèmes relationnels.

• Deuxième point de repère : ce qui est au centre d'un couple « à l'essai », c'est le *soupçon et la défiance.* On se soupçonne soi-même de ne pas pouvoir tenir et on soupçonne l'autre de ne pas correspondre à ce que l'on attend de lui. Or, il est très difficile de construire une relation humaine quand le soupçon en est le constitutif. Car, finalement, pour construire une relation avec un autre, il faut que je puisse me fier à lui. La qualité du lien est dépendante de l'intensité de la confiance mutuelle. Certes, dans aucun couple, il n'existe une relation sans quelque arrière-pensée, mais dans le *« mariage à l'essai »,* l'arrière-pensée me semble être le constitutif même du couple. Ce qui est grave.

• Troisième point : S'il y a *séparation,* comment sera-t-elle ressentie par les partenaires ? Il se peut que l'un des deux ait très peu investi dans la relation, et qu'il lui soit facile d'y mettre fin, mais que l'autre y ait beaucoup investi, et que quelque chose se soit brisé en lui par la rupture d'une expérience profonde qu'il aura menée pendant deux, trois, quatre ou cinq ans.

• Il faut aussi tenir compte du fait que les risques de *grossesse* ne sont jamais nuls. C'est un point qui n'est pas facilement accepté aujourd'hui. « Et la contraception, à quoi ça sert ? » direz-vous. Mais vous savez très bien qu'il y a des actes manqués qui sont parfaitement réussis (!) et que l'on ne peut jamais exclure à priori la possibilité d'une grossesse quand on cohabite : il faut être réaliste ! Et devant la grossesse, le couple est souvent affronté soit à la question de l'avortement qui est en lui-même un problème éthique très important, soit à celle du mariage. Mais si l'on se marie à cause de l'enfant, quel rôle fait-on jouer à celui-ci ? C'est un problème qu'il faut regarder en toute responsabilité.

Toutes ces remarques vous font comprendre que j'ai, d'une façon générale, des réticences profondes devant la perspective du « mariage à l'essai ».

Je viens de parler de façon négative, en soulignant ce qui m'apparaît comme limites objectives d'une telle forme de commencement de la vie du couple. Mais il faudrait, d'une part, souligner que *les cohabitations n'ont pas toutes,* aux yeux des jeunes, *la signification d'un « mariage à l'essai ».* D'autre part, il faudrait parler de façon plus positive en soulignant la chance pour le couple que représentent l'engagement et la fidélité dans la durée. Je vous renvoie à ce que j'ai dit plus haut. Il me semble qu'aujourd'hui beaucoup de personnes qui cohabitent n'ont pas suffisamment assumé ce que les psychanalystes appellent la castration symbolique, c'est-à-dire la capacité de vivre le manque. Or, la vraie fidélité dans la durée affronte à cette castration. En cela, elle peut être une chance parce qu'elle peut être un creuset où se forme peu à peu la relation qui laisse subsister la saine solitude dans la reconnaissance joyeuse de l'autre.

Bref, vous me demandiez ce que je pense, comme moraliste, des «mariages à l'essai». Je reconnais que certains d'entre eux, dans la *singularité* de l'histoire des couples concernés, on été plutôt constructifs. Mais j'estime que le *«souhaitable habituel»,* ne réside pas dans cette voie. Telle est ma position. Je me suis laissé éclairer, dans ma réflexion, par toute la tradition chrétienne qui insiste sur la grandeur de l'amour humain reconnu socialement et vécu dans la stabilité; vous voyez, la foi chrétienne peut servir de phare dans une recherche. Et je dois dire que mon expérience de rencontres de couples divers n'est pas venue démentir ce que je pense et que je vous ai exposé. Mais maintenant, je voudrais connaître vos réactions.

Un fait sociologique important

Q. — *La cohabitation ne devient-elle pas de plus en plus un fait sociologique, qui manifeste non pas la volonté de faire un essai avant de parvenir au mariage, mais le refus du mariage-institution?*

X.T. — Je suis en partie d'accord avec vous. Mais il ne faut pas oublier que 90 % des gens environ finissent par se marier; donc il n'y en a que 10 % qui ne se marient pas, ce qui est vraiment peu, surtout si l'on retire de ce chiffre ceux qui ne peuvent pas se marier. La pression sociale est donc considérable; ce qui, soit dit par parenthèse, manifeste que le mariage n'est pas d'abord affaire de désir personnel, mais affaire de groupe. Les ethnologues l'ont bien montré.

Ceci dit, *a-t-on raison de vouloir refuser l'institution du mariage?* Ma position est nette; j'aime autant la dire tout clair. Je pense que non et je vous renvoie à tout ce que je viens de dire. Mais il est important de ne pas confondre mariage et modèle existant de couple marié: à l'intérieur même d'une relation conjugale, il y a certainement à *inventer d'autres modèles* que celui du couple classique. Et je pense que la structure chrétienne du mariage monogame et vécu dans la fidélité peut être très constructive, même si les chrétiens eux aussi ont à faire preuve d'invention; mais je ne vous ferai pas un cours de théologie du mariage, ce n'est pas directement mon domaine.

Vous avez souligné que la cohabitation des jeunes est un fait sociologique important. Certes, nombreux sont les jeunes qui, au début de leur vie en couple, refusent le mariage, ou du moins ne se marient pas tout de suite. J'ai insisté jusqu'à présent sur la nécessité pour chacun d'être suffisamment lucide sur le sens de sa démarche *personnelle.* Mais, en même temps, il faudrait découvrir les *raisons sociologiques profondes* de ce phénomène social important. Il me semble que, jusqu'ici, on est resté à la surface des choses. Ces raisons sont sans doute multiples. Il faudrait, notamment, réfléchir sur le *rapport nouveau à l'angoisse, à la peur et à la violence* qui s'est instauré dans notre société. Je veux dire ceci: il y a toujours un lien étroit entre la régulation sociale de la sexualité et celle de la violence et de la peur. Or, nous sommes dans une période de l'histoire où, pour la première fois, l'humanité possède le moyen de s'autodétruire. Pour la première fois aussi, les hommes ont acquis une conscience vraiment planétaire, réalisant ainsi que l'équilibre du monde est fort fragile. Tout cela conduit certainement à un sentiment de précarité qui ne peut pas ne pas s'inscrire dans nos relations humaines, dans notre rapport à la durée et aussi dans notre conception du corps sexué et du plaisir. La sexualité est, en effet, une réalité ambivalente qui réveille des peurs archaïques mais aussi qui est lieu de plaisir avec la fonction de réassurance que celui-ci possède. Notre nouveau rapport à la violence, à l'angoisse, a donc certainement des répercussions sur les rapports des jeunes à l'institution matrimoniale et sur leurs réticences à s'engager dans une vie de couple socialement ratifiée.

Q. — *J'avais l'impression qu'un sociologue comme M. Roussel voyait comme cause principale à la décision de cohabiter sans se marier l'attitude plus permissive de la société, la diminution de la pression sociale.*

X.T. — Remarquons d'abord que la pression sociale continue à se manifester, puisque finalement les gens se marient. Mais elle se manifeste sans doute autrement que par le passé.

Dans le domaine de la sexualité, notre société est sans doute plus permissive qu'autrefois. Encore que, pour en juger avec sérieux, il faudrait peut-être se laisser interpeller, entre autres, par les analyses de Marcuse sur ce que celui-ci appelle la «désublimation répressive». Cette dernière n'est-elle pas une pseudo-libération sexuelle?

De façon plus large, pour réfléchir sur la question de la permissivité d'une société, il faut se rappeler que le problème de toute éthique et donc de toute société est celui de la régulation de la violence: «Tu ne tueras pas». Ce précepte ne vise pas seulement l'interdit de l'homicide mais aussi l'interdit de toutes les façons de tuer: tuer la capacité d'expression, tuer la santé, tuer la dimension spirituelle de l'homme, etc. Nous sommes tous pris dans une alternative: ou on aime ou on meurt par la violence.

Il faut donc tenter de saisir ce que la permissivité sexuelle actuelle signifie quant à la nouvelle façon d'exprimer la violence dans notre société et quant à la façon d'assumer l'alternative que je viens d'énoncer.

Les relations extra-conjugales

Q. — *Comme moraliste, que pensez-vous des relations extra-conjugales? Je pense non seulement aux relations sexuelles, mais aussi aux relations affectives très profondes entre un membre du couple et un homme ou une femme, extérieur au couple. Je pense que cela ne remet pas forcément en cause le couple et sa durée, mais que cela peut agir fortement sur son équilibre.*

X.T. — Il y aurait beaucoup à dire au sujet de votre question. Tout d'abord, la fidélité conjugale ne se réduit pas à l'absence de relations sexuelles extra-conjugales. Ce serait survaloriser le génital. La fidélité est encore bien autre chose. Elle se joue également, et peut-être surtout, dans la qualité de la relation avec ses dimensions affectives et agressives. Loin que la fidélité soit du côté de la répétition, elle est du côté d'une tentative quotidienne de *créativité.* C'est pourquoi ce n'est pas parce qu'il y a eu une relation extra-conjugale que le couple est nécessairement brisé. D'ailleurs, nos personnalités sont si complexes qu'il arrive que la transgression par un conjoint de la fidélité sexuelle conjugale s'avère, en définitive, dans l'histoire de *certains* couples globalement constructive. Un tel constat ne suffit évidemment pas à justifier éthiquement les relations extra-conjugales!

Par ailleurs, il ne faut pas oublier que lorsqu'on a une relation sexuelle, on est deux. Ce qui peut sembler plutôt constructif pour l'un peut être destructeur pour l'autre. Je me souviens, par exemple, d'une veuve de 35 ans qui, cinq ans après la mort de son mari, redécouvrait ses désirs sexuels et me disait avoir des relations avec des partenaires de passage: «Depuis, je me sens mieux, plus équilibrée.» «En effet, c'est possible, ai-je remarqué, mais vous êtes en train de prendre des personnes comme thérapeutique.» Or, il ne peut être légitime, d'un point de vue éthique, d'instaurer un partenaire d'abord comme un objet de défoulement sexuel ou comme un objet thérapeutique, même si ce partenaire peut trouver des connivences en lui-même avec une telle mise en situation. N'oublions pas que nous avons tous des connivences avec les meilleures choses, mais aussi avec les pires, y compris d'ailleurs avec le meurtre et l'inceste. L'existence d'une connivence avec le fait de servir d'abord d'objet sexuel ou d'objet thérapeutique n'est donc pas une raison qui justifie qu'un partenaire exploite cette complicité.

Dans un adultère, ou dans une relation extra-conjugale, il faut donc toujours s'interroger non seulement sur soi-même, mais aussi sur les répercussions, immédiates et à venir, chez le partenaire avec qui on a une relation sexuelle, chez le conjoint qui est lésé, et même éventuellement chez les enfants. On ne peut échapper à ce type d'interrogation si l'on ne veut pas être irresponsable, en se fiant seulement à ses impressions subjectives et momentanées d'épanouissement.

Pour le *couple lui-même,* une transgression extra-conjugale est rarement anodine. Certains le dénient. Mais il faut avoir entendu quelquefois des conjoints «trompés» pour se rendre compte que cette transgression n'est pas aussi anodine qu'on voudrait le faire croire : la relation sexuelle est engageante, et ce n'est pas un geste banal que de tromper son mari ou sa femme.

Ceci dit, un couple chrétien ne devrait pas oublier une dimension essentielle de la vie chrétienne : *le pardon.* Le pardon ne consiste pas en l'oubli, ni en de l'indulgence devant quelque chose d'excusable. C'est, devant un mal qui a quelque chose d'inexcusable, dire à l'autre : «Je considère que tu vaux mieux que ce que tu m'as fait. C'est pourquoi je te fais confiance pour un avenir nouveau.» Autre point de repère dans l'Evangile : la parabole de la paille et de la poutre. L'infidélité de l'autre n'est jamais uniquement son fait à lui tout seul : elle est toujours aussi en partie mon fait, ne fût-ce que parce que mon manque de créativité a poussé l'autre à transgresser. En partie seulement : il ne faut pas se croire à l'origine de tous les maux, ce serait tomber dans l'illusion de la sur-puissance, ce serait «se faire diable», alors qu'on a une part, une part seulement, de responsabilité.

Bref, je pense que les relations extra-conjugales sont, comme le dit l'expression populaire, des «coups de canif dans le contrat». Des coups de canif répétés peuvent faire de grandes déchirures... Enfin, la question que l'on vient de me poser a le mérite de manifester qu'une infidélité conjugale grave peut se produire sans même qu'il y ait passage à l'acte sexuel. Il est des «amitiés» qui sont de véritables adultères même si elles sont vécues dans l'abstinence des relations sexuelles. Une amitié, pour être positive, doit permettre aux conjoints de déployer la richesse de leur lien affectif. Il est évident que cela ne se fait pas automatiquement. La conduite d'une amitié, quand on est marié, suppose beaucoup de clarté, de patience et d'amour, c'est-à-dire de respect de l'autre dans ses peurs et ses lenteurs.

Morale humaine, morale chrétienne

Q. — *Vous nous avez exposé vos convictions; en fait beaucoup reposaient sur des considérations humaines. Pourquoi vous êtes-vous senti obligé de vous référer à la foi chrétienne?*

X.T. — Votre intervention pose une question de fond: quel rapport y a-t-il entre la morale chrétienne et une morale qui n'aurait pas de référence religieuse? Je pense, qu'au plan des *normes particulières,* il n'y a pas, en droit, de différences. Dans des secteurs concrets, il est tout à fait possible qu'un athée convaincu parvienne, à partir de réflexions anthropologiques, exactement aux mêmes conclusions que le christianisme. Si bien que, quand je vous disais: «la morale chrétienne tient fermement tel et tel point», jamais je n'ai prétendu que des athées ne les tiennent pas aussi. Mais ce qu'il y a de sûr, c'est que ces points-clefs, je les trouve fermement affirmés dans la Bible et la tradition chrétienne, et cela m'aide, me conforte, dans mon analyse anthropologique. D'ailleurs, plus j'étudie la Bible, plus je découvre sa richesse anthropologique ; et je ne suis pas le seul, même des penseurs incroyants le découvrent aujourd'hui.

Par contre, il peut y avoir des oppositions très nettes entre la morale chrétienne et la morale de certains non-chrétiens au plan des fins ultimes *visées.* Par exemple, le fait de croire à la résurrection me dit l'importance de ce monde, de l'engagement dans ce monde, des relations humaines, de la famille, puisque quelque chose de tout cela *subsistera,* mais en même temps relativise mon effort humain, puisque je crois que nous ressusciterons *autrement* que ce que nous sommes actuellement. Cela me pousse à éviter de me prendre trop au sérieux dans mon action aujourd'hui, de devenir trop idéologue ; cela pousse les chrétiens à ne pas survaloriser le couple, à ne pas survaloriser non plus le célibat des religieux et des prêtres. La foi chrétienne, par *l'espérance* qu'elle soutient, par sa dimension prophétique, renforce le *dynamisme* des croyants : cela vaut le coup de vivre puisqu'il subsistera de ce monde-ci en l'autre ; et en même temps la foi invite à l'*humour* comme saine distanciation, puisque de toute façon, il faut en passer par la mort, avant de connaître la Résurrection.

ÉLÉMENTS D'ANTHROPOLOGIE SEXUELLE ET LEURS INCIDENCES SUR LE DISCERNEMENT CHRÉTIEN [6]

De nombreux prêtres et laïcs se trouvent fréquemment affrontés à des dialogues dans lesquels leurs interlocuteurs viennent à exprimer des difficultés sexuelles. De plus, les chrétiens sont souvent désarçonnés par l'évolution actuelle des mœurs dans le domaine de la sexualité et de l'affectivité :

6. Cf. *Prêtres diocésains,* avril 1981.

que penser, par exemple, des comportements sexuels des jeunes ou encore quel jugement porter sur les propos des sexologues que l'on entend à la radio ou que l'on lit dans la presse? Enfin, le chrétien lui-même est parfois désorienté quant au jugement éthique à porter sur les problèmes sexuels qui quelquefois l'atteignent. «Suis-je pécheur? Suis-je anormal?» se demande-t-il alors. Il est évident qu'on ne peut répondre à de telles questions et se situer convenablement dans la relation d'aide avec des gens en difficultés, que si l'on est à peu près au clair avec la sexualité. Or cette mise au clair exige comme condition nécessaire (même si elle est très insuffisante) une connaissance théorique adéquate de l'anthropologie sexuelle. C'est pourquoi je me permets de rappeler ici *quelques-unes* des conclusions auxquelles sont arrivées les sciences humaines contemporaines.

I. La sexualité ne se réduit pas à la génitalité

Une des conclusions, parmi les plus connues, des recherches anthropologiques est sans doute celle-ci: la sexualité de l'être humain ne se réduit pas à sa génitalité. Cette dernière pourrait être définie comme la mise en œuvre de ce qui assure le fonctionnement des organes génitaux. Elle s'exerce par exemple dans une relation sexuelle avec un partenaire ou encore dans un acte masturbatoire. Le domaine de la sexualité s'étend, lui, au-delà de ces seuls actes génitaux. D'une part, les recherches biologiques ont montré que toute cellule humaine, dès l'instant de la conception, est marquée par la sexualité. D'où la possibilité de définir la sexualité comme cette dimension masculine ou féminine dont est informée toute la réalité de l'individu dès les premiers moments de sa conception [7]. D'autre part, les recherches psychanalytiques, à la suite de Freud, ont elles aussi découvert que la sexualité était à l'œuvre chez le petit d'homme bien avant qu'il ne

7. Collectif, *Sexualité et Vie Chrétienne,* Centurion 1981, p. 17.

devienne pubère. C'est dès sa mise au monde que l'enfant ressent « une série d'excitations qui procurent un plaisir irréductible à l'assouvissement d'un besoin physiologique et qui se retrouveront plus tard à titre de composantes dans la forme dite normale de l'amour sexuel [8] ». C'est ainsi, par exemple, que l'on peut décrire, chez le nourrisson, le plaisir du sein comme un plaisir sexuel. On le voit, le terme « sexualité » désigne une réalité beaucoup plus large que le seul fonctionnement des organes génitaux.

La conséquence concrète de cette première remarque anthropologique est que *toute relation humaine aux choses, aux autres et à Dieu est sexuée,* même si elle n'est pas génitale. Cela signifie que tous nos désirs sont marqués par l'expérience que nous avons de la sexualité depuis notre plus tendre enfance. Mais cela veut dire aussi que même notre vie de prière, nos façons de voir Dieu, nos activités apostoliques sont « colorées » par notre manière d'assumer le sexe. Si l'on en doutait, il suffirait pour s'en convaincre de constater que beaucoup de personnes qui traversent une crise affective, c'est-à-dire un remaniement de leur vie sexuée, traversent souvent en même temps une crise de la relation à Dieu ou du moins un remaniement important de cette relation.

De ces quelques réflexions, une conclusion pastorale surgit immédiatement. Il est erroné de juger de la qualité de la chasteté de quelqu'un à partir des seules expressions de sa génitalité. En effet, la chasteté n'est pas à confondre avec la continence, c'est-à-dire avec l'abstention de plaisirs génitaux orgastiques volontairement provoqués. La chasteté est la vertu qui permet de vivre la sexualité de façon libérante pour soi et pour les autres. Or, il peut arriver qu'une personne soit continente, c'est-à-dire s'abstienne de passages à l'acte génitaux, et que pourtant elle ne soit pas chaste. Tel est le cas, par exemple, d'un homme célibataire qui ne se permet aucun geste érotique avec telle femme, mais qui utilise son pouvoir

---

8. Laplanche et Pontalis, *Vocabulaire de la psychanalyse,* PUF, art. Sexualité.

sexué de séduction pour enfermer celle-ci dans son propre désir. Pour juger de l'existence d'une véritable chasteté, la question à se poser n'est donc pas uniquement: «ai-je évité tout geste érotique ou génital avec quelqu'un d'autre, contraire au respect évangélique que je lui dois?» mais aussi «l'usage que j'ai fait de mon désir sexué dans la relation avec lui a-t-il contribué à l'enfermer dans mon désir ou au contraire, à lui permettre de devenir un peu plus lui-même?» Cette dernière question doit spécialement être celle du pasteur qui s'interroge sur sa propre chasteté. Sa façon sexuée d'être avec les laïcs, hommes, femmes, adultes, ou enfants, et de leur présenter le message évangélique, est-elle libérante pour eux ou au contraire «se-ductrice» à l'excès? L'écoute de nombreux prêtres me montre que ceux-ci centrent encore trop sur la seule génitalité leur examen de conscience concernant leur fidélité à Dieu dans le domaine de la sexualité.

Les réflexions précédentes étaient destinées à rappeler que toute relation humaine est sexuée. Cependant, cette dernière proposition doit immédiatement être accompagnée d'une autre qui lui sert de correctif sous peine d'être pansexualiste, c'est-à-dire de tout ramener au sexe. Il faut donc affirmer avec vigueur qu'*aucune relation ne se réduit à la sexualité*. L'être humain a bien d'autres dimensions. Par exemple, il est marqué par l'agressivité, par sa position dans le processus de production économique, par sa culture, etc. Et, à nos yeux de chrétiens, il est d'abord un être appelé par Dieu à devenir son fils adoptif, quelle que soit sa sexualité. Cela veut dire, entre autres, qu'il est profondément réducteur de désigner une personne par une de ses caractéristiques sexuelles. Par exemple, on entend souvent dire de tel sujet qui a des tendances homosexuelles profondes: c'est *un* homosexuel! Parler ainsi c'est finalement ne pas respecter le sujet et c'est se condamner à ne plus voir chez lui que sa sexualité inhabituelle, oubliant qu'il est d'abord une personne invitée, avec tout ce qu'elle est, à répondre à l'appel de Dieu sur elle.

Devant cette affirmation qu'aucune relation ne se réduit au sexe, certains ne manqueront pas d'objecter qu'elle est fausse pour au moins une relation : la relation charnelle. Celle-ci n'est-elle pas uniquement sexuelle et même génitale ? Cette objection témoigne d'une étroitesse de point de vue. En effet, la réflexion montre d'abord que toute relation charnelle met en œuvre des dimensions agressives assez importantes. Dans les relations humaines, agressivité et sexualité sont toujours profondément imbriquées. A tel point que si l'on modifie le rapport d'une personne à son agressivité, on modifie aussi sa façon d'assumer sa sexualité. Par ailleurs, il est clair que la relation charnelle n'est pas qu'une expression des corps, mais aussi un moyen d'exprimer des sentiments qui sont toujours en partie informés par la culture et l'éducation des partenaires. Enfin et surtout, il ne faut pas croire que la relation charnelle n'a que des aspects intimistes. Elle est conditionnée de façon importante par des réalités socio-collectives. Ainsi, par exemple, quand un couple a une relation génitale, la façon dont il joue érotiquement de son corps et de celui du partenaire est dépendant de sa position dans l'échelle sociale ! Des enquêtes statistiques sérieuses vont jusqu'à affirmer que la durée des préludes sexuels serait, en moyenne, plus longue chez les cadres supérieurs que chez les ouvriers spécialisés. Où va se loger la lutte des classes ! De même, la pratique d'une relation génitale oblige les partenaires à se préoccuper de la fécondité éventuelle de cette relation. Or l'accueil ou le refus de cette fécondité est évidemment très dépendant des ressources économiques du couple, de la qualité de logement, des repères idéologiques ou religieux des conjoints, de leur capacité à verbaliser leurs désirs, etc. Toutes choses qui ne sont ni intimistes ni directement sexuelles. Ainsi, il faut veiller à ne jamais aborder la réflexion sur la sexualité par un côté purement privé, que celui-ci soit perçu sous l'angle physiologique ou sous l'aspect psychologique. *Toute sexualité a en fait des dimensions socio-collectives importantes.* L'oublier c'est se condamner à une certaine irresponsabilité dans l'action pastorale et à des errances presque inévitables dans le discernement éthique.

II. L'Instinct sexuel ? Ça n'existe pas !

Le titre de ce paragraphe est provocateur et, après ce qui vient d'être dit, paradoxal. Aussi dois-je expliquer pourquoi j'ai osé l'écrire. Mon but est de dénoncer, sous forme lapidaire, une idée fausse de la sexualité qui habite la plupart des esprits et qui est ancrée en profondeur dans beaucoup de documents ecclésiaux. La persistance de cette idée explique, *en partie,* selon moi, le malaise fréquent de beaucoup de chrétiens devant les textes magistériels concernant la sexualité. Il en est comme si ces documents ne parvenaient pas à rejoindre l'expérience sexuée des laïcs et des pasteurs.

Cette idée fausse de la sexualité consiste à affirmer que la sexualité est un *instinct* massif, masculin ou féminin, mis en place lors de la rencontre de l'ovule et du spermatozoïde, et *prédéterminé* à faire rencontrer *un partenaire de l'autre sexe,* considéré dans sa *totalité.* Cette façon de considérer *la* sexualité comme une réalité tout d'une seule pièce et en définitive purement physiologique a été mise à mal par les recherches psychanalytiques. Celles-ci ont montré que *cette* sexualité-*là* était une pure vue de l'esprit. Alors, si l'instinct sexuel massif n'existe pas, en quoi consiste donc la sexualité ? La réponse des psychanalystes est la suivante : la sexualité d'une personne est une *organisation relativement stable* (dont la mise en place a été longue et précaire) *de pulsions partielles multiples* qui visent des objets *partiels.* Cette définition un peu technique mérite quelques explications.

Tout d'abord une *pulsion* est un processus dynamique qui consiste dans une poussée. Celle-ci prend sa *source* dans une excitation corporelle, a pour *but* de supprimer l'état de tension par le plaisir et enfin trouve à se satisfaire par différents *« objets »* (par exemple : telle partie du corps d'un partenaire). Prendre acte que la sexualité est composée de pulsions, c'est aussi prendre acte que tout le corps est un corps de désirs, un corps capable de jouir, un corps « érogène », comme disent les psychologues. On est donc loin, selon cette façon de voir, d'un corps perçu comme une sorte d'usine biochimique qui aurait une seule zone capable de jouir : la zone génitale. En vérité, tout notre corps est marqué par des pulsions qui cherchent à se satisfaire, même si certaines zones du corps sont des zones privilégiées de plaisir érotique (bouche, anus, organes génitaux). C'est dire que chacun de nous, en fonction des expériences de plaisirs qui furent les siennes dans son passé, a une « géographie » corporelle érotique unique au monde.

Ces pulsions sont dites *partielles*. Pourquoi ? Tout d'abord parce qu'elles sont éléments de l'organisation plus vaste que constitue « la sexualité ». Mais aussi et surtout parce que ces pulsions visent des *objets partiels*, c'est-à-dire non pas la réalité d'un partenaire pris dans sa globalité d'homme ou de femme, mais des *parties* du corps (sein, fèces, pénis, etc.) ou leurs équivalents symboliques. Ainsi, par exemple, tout homme a des pulsions voyeuristes qui trouvent leur source dans la zone oculaire et qui cherchent à jouir en regardant une partie de l'intimité d'une autre personne.

Enfin, avant d'examiner les conséquences pour l'agir pastoral de ces données anthropologiques, remarquons que les pulsions sexuelles partielles finissent par former une *organisation relativement stable*, au terme d'une évolution qui a duré de nombreuses années (les six premières années de l'enfant sont, à cet égard, décisives). C'est l'existence d'une telle organisation qui fait d'ailleurs illusion en donnant l'impression que la sexualité est un instinct massif. De plus, malgré sa *relative* rigidité, cette organisation peut subir au cours de l'existence quelques remaniements qui vont réactiver des stades apparemment dépassés de l'évolution sexuelle du sujet. Il arrive ainsi que telle personne dont l'équilibre sexuel paraissait satisfaisant se retrouve soudain, à la suite d'une grosse épreuve, avec des passages à l'acte masturbatoire irrésistibles qui rappellent ceux de son adolescence, ou encore avec des désirs oraux très forts qui vont inviter à manger ou boire de façon excessive. Le devenir d'une sexualité est donc une réalité extrêmement complexe qui dépend en partie, mais en partie seulement, de la volonté des personnes.

Incidences sur le discernement

Le chrétien doit savoir tout d'abord que les pulsions sexuelles partielles, même quand elles sont organisées de façon dite normale, c'est-à-dire de façon à permettre un lien stable avec un partenaire de sexe opposé, continuent à exercer leurs pressions. Il faut donc s'attendre à trouver chez beaucoup de personnes ce que l'on pourrait appeler, de façon vulgarisée, des «bizarreries» sexuelles qui étonnent parfois le sujet qui les vit: fantasmes ou rêves érotiques inhabituels, voire pervers; désirs sexuels étonnants, parfois suivis de passages à l'acte, qui laissent pantois leurs auteurs, etc. Toute normalité sexuelle est constituée d'un équilibre complexe de désirs qui, s'ils étaient vécus de façon isolée, paraîtraient anormaux. Le chrétien doit donc se garder de nommer trop vite péché ce qui le plus souvent n'est qu'une manifestation de la pression de pulsions sexuelles partielles mal intégrées. La meilleure attitude devant de telles manifestations occasionnelles est souvent celle d'un sain humour qui dédramatise. Si toutefois, les «bizarreries» sexuelles devenaient envahissantes et perturbantes pour le sujet, ou pour son entourage, il peut être bon d'inviter à consulter un spécialiste, le plus souvent un psychothérapeute.

Par ailleurs, face à une personne adulte qui se retrouve devant un stade de son évolution sexuelle qu'elle pensait bien résolu (stade masturbatoire, par exemple) celui qui écoute doit se garder de condamner ou d'approuver, ou encore de porter un jugement d'anormalité. Il faut plutôt aider cette personne à regarder sereinement ce qui se passe. Cela lui permettra de distinguer ce qui en elle serait péché, c'est-à-dire manifestation d'un refus de correspondre à l'amour de Dieu et ce qui serait régression spontanée et irrésistible de son organisation psycho-sexuelle. Combien de chrétiens, et parmi eux de prêtres, ne se sont-ils pas déclarés gravement pécheurs en raison de tel problème sexuel, alors que bien souvent ils subissaient, malgré eux, une régression qui d'ailleurs les humiliait? Celui qui reçoit des confidences doit donc sans cesse garder en mémoire cette loi psychologique: quand une personnalité subit une grosse épreuve (deuil, chômage, échec apostolique ou professionnel grave, solitude...) elle a souvent une tendance spontanée à régresser, malgré elle, à un stade de son histoire où elle éprouvait davantage de satisfactions. Dans de tels moments, les pulsions sexuelles partielles les plus primitives vont parfois exercer fortement leurs pressions et désarçonner le sujet qui se découvre tout honteux avec des désirs, à ses yeux, très étonnants voire anormaux. Le conseiller ne doit pas alors se laisser gagner par l'affolement de la personne qui lui parle. Au contraire, il permettra au sujet, par son écoute discrète, de retrouver une meilleure image de lui-même, de situer avec plus de vérité sa culpabilité éventuelle, et enfin de découvrir un Dieu de patience qui connaît mieux que quiconque la complexité de la sexualité. N'est-ce pas en effet ce Dieu qui «fit l'homme, homme et femme» et vit «que cela était très bon»?

LA CHASTETÉ: UNE SAINE RÉGULATION DE LA SEXUALITÉ [9]

La chasteté: une saine régulation de la sexualité

Il peut paraître étonnant lors d'une réflexion qui cherche à être à l'écoute des requêtes contemporaines, d'utiliser le terme apparemment désuet de *chasteté* et de lui consacrer une si grande place. Selon l'opinion commune, la chasteté n'est-elle pas réservée aux seuls prêtres ou religieux-religieuses? Je voudrais montrer ici que cette opinion est fausse. Bien plus, je souhaiterais faire percevoir qu'il n'est peut-être pas, du point de vue de l'anthropologie contemporaine, de terme

9. Ce chapitre est constitué par un exposé fait à des religieuses en 1976. Il garde le style oral (in *Cor UNUM* — Groupes Evangile et Mission — 1978, nº 6 — 202, Avenue du Maine — 75014 Paris).

plus adéquat que celui de chasteté pour parler d'une saine régulation de la sexualité. Mais pour ce faire, il importe d'abord de définir deux mots qui sont souvent confondus dans l'esprit du grand public.

Deux définitions

— La *continence.* Ce mot vient du latin *continere* qui signifie contenir. Il désigne l'état d'une personne qui contient ses pulsions sexuelles. Est donc continent un sujet qui s'abstient de tout plaisir génital orgastique *volontairement* provoqué, c'est-à-dire qui ne se masturbe pas ou qui n'a pas de passage à l'acte sexuel avec autrui. Il importe de saisir que la chasteté ne se confond pas avec la continence. En effet, il peut arriver, en premier lieu qu'une personne soit continente et non chaste, comme je le montrerai plus loin. En second lieu, la chasteté n'est pas réservée aux seuls célibataires. Toute personne, *mariée* ou non, bien équilibrée ou non, doit du point de vue de l'éthique, viser la chasteté.

— La *chasteté.* Ce mot désigne la disposition intérieure qui pousse une personne à réguler sa sexualité de façon *libérante* (pour soi et pour les autres). On le voit, le terme *chasteté,* si on le comprend bien, ne suggère pas la volonté de dépasser ou, pire encore, de dénier la réalité sexuelle, mais le désir de réguler l'organisation de pulsions sexuelles partielles dont toute personne est constituée [10]. Devenir chaste ce n'est donc pas tenter d'éviter la sexualité, mais c'est chercher à bien l'assumer; ceci, quel que soit l'état de vie dans lequel on se trouve et quel que soit l'équilibre humain que l'on a réussi à atteindre. En outre, le but visé par la régulation de la sexualité est un but éminemment positif: une plus grande liberté. L'effort pour devenir chaste est donc un effort qui cherche à user de la sexualité pour devenir plus homme ou plus femme, en un mot pour augmenter le pouvoir relationnel qui est le nôtre.

---

10. Cf. le chapitre précédent.

Chaste: le contraire d'incesteux

Devant de telles définitions certains ne manqueront pas d'objecter: «certes, vous évitez des confusions, et vous donnez d'emblée une image positive de la chasteté, mais vous restez dans la pure abstraction. Car enfin, qu'est-ce donc, *concrètement,* qu'une sexualité régulée de façon *libérante?* Quels sont les critères qui permettent de découvrir si une sexualité est en train de s'humaniser ou non?»

De fait, pour ne pas rester dans un discours vide de tout contenu, il faut préciser davantage en quoi consiste la chasteté. Je vais le faire en recourant à l'étymologie qui est étonnamment chargée de vérité anthropologique. Le mot *chaste* vient du latin *castus.* Or le contraire de *castus* est en latin le mot *incastus* dont la traduction française est *incestueux.* Autrement dit, si l'on en croit l'étymologie, est chaste une personne qui n'est pas incestueuse.

Cette remarque étymologique ne semble pas présenter d'intérêt si l'on donne au mot inceste le seul sens restreint que lui donne le langage ordinaire, à savoir le fait d'avoir une relation sexuelle avec un proche parent. Par contre l'étymologie devient fortement significative si l'on donne au terme «incestueux» un sens plus élargi. Dans ces pages, j'appellerai «incestueuse» toute conduite qui cherche, d'une façon ou d'une autre, à prolonger ou à reproduire l'état d'indifférenciation qui existait, au commencement de la vie, entre le petit enfant et l'instance maternelle. Ainsi, serait chaste une conduite qui s'efforcerait de faire sortir la personne de l'état d'indifférenciation («incestueux») qui était le sien au tout début de son existence.

Du fusionnel à l'humain

Pour être mieux compris, recourons à un schéma très simplificateur, mais éclairant. Pour l'enfant, vivre humainement, acquérir son autonomie, ce sera peu à peu se différencier du monde fusionnel qu'il forme avec son origine. Ce sera accepter de perdre définitivement cet «objet» qu'est son origine.

Il faut donc qu'une instance quelconque vienne couper,

vienne «castrer» ce monde fusionnel pour que le désir de l'enfant, qui pourrait établir une sorte de collusion avec son origine, puisse être barré et se diriger vers d'autres «objets». Par «objet», j'entends non pas un objet matériel, comme une table ou une chose quelconque, mais tout ce qui existe en dehors de la personnalité même de l'enfant. Donc cette instance castratrice, qui vient couper ce monde indifférencié, va permettre à l'enfant de découvrir *l'espace,* c'est-à-dire les *autres* «objets» qui existent autour de lui. Il prendra conscience que tout n'est pas lui, qu'il y a des différences entre lui et le reste du monde. Cette instance castratrice lui permettra aussi de découvrir le *temps,* c'est-à-dire qu'il lui faudra devenir homme et construire sa personnalité dans la lenteur et dans l'épaisseur des relations humaines.

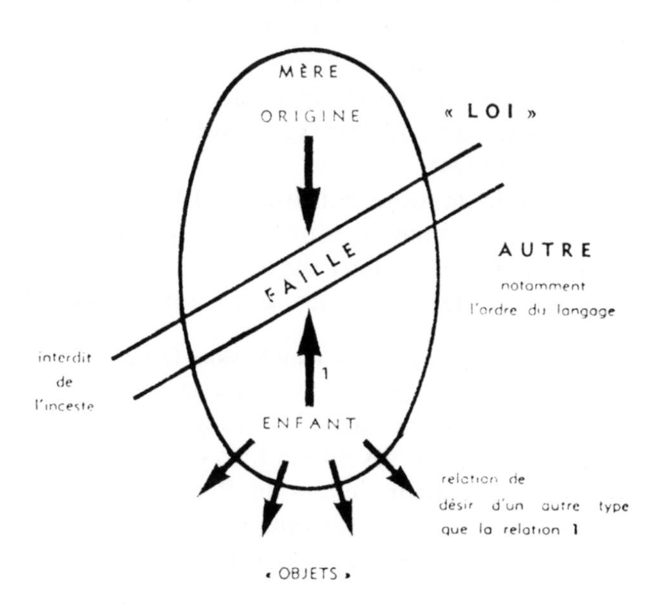

Quelle est donc l'instance qui vient castrer ce monde fusionnel? Nous l'appellerons *«la loi»,* c'est-à-dire l'ensemble des références sociales qui préexistent à l'enfant: notamment le langage, les interdits, le père, tout ce qui se vit entre les instances parentales, etc., donc l'ensemble des références qui existent ailleurs que chez l'enfant et par lesquelles il est obligé de passer pour pouvoir peu à peu acquérir son autonomie, sa capacité de dire «Je». On le voit, *devenir humain, vivre humainement, c'est toujours renoncer:* renoncer à l'état d'indifférenciation, renoncer à coïncider avec son origine.

On pourrait paraphraser la parole de l'Evangile: «Qui veut sauver sa vie la perdra, qui perdra sa vie à cause de moi la sauvera», en disant: «Qui veut sauver sa vie fusionnelle perdra sa vie humaine. Qui perdra sa vie fusionnelle à cause de la loi sauvera sa vie humaine».

Renoncer au monde fusionnel

Pour que cela n'apparaisse pas purement théorique, je vais tenter, par quelques exemples, d'illustrer comment être chaste, c'est renoncer à ce monde fusionnel avec ses quatre grandes caractéristiques:

- un monde sans faille, donc sans échec et sans mort;
- un monde sans différence, où ni l'espace ni le temps ne sont marqués;
- un monde de toute-puissance, où tout semble possible, où l'enfant s'imagine tout pouvoir parce qu'il s'imagine être totalement l'objet du désir de sa mère;
- un monde de coïncidence avec son origine.

Renoncer à un monde sans faille...

Cela veut dire accepter dans sa vie la réalité de l'échec et du mourir. Ce n'est pas facile! Ce sera notamment se reconnaître très limité dans ses possibilités de se transformer et de construire ou de détruire le monde. Par exemple, si l'on a des tâches éducatives, ce sera reconnaître que l'on n'est pas tout-puissant par rapport aux gens que l'on forme. Pour le chrétien, ce sera aussi, reconnaître son péché, mais le reconnaître dans l'humilité et non dans l'humiliation. Il y a, en effet, des façons non-chastes de se reconnaître pécheurs, qui nous font tomber dans l'humiliation où l'on «s'écrase» devant Dieu, où l'on est dépité de soi-même. Or un tel dépit est finalement une façon de ne pas tolérer ses failles et de s'anéantir pour acquérir la toute-puissance de Dieu. On voit combien, entre la chasteté et l'humilité, il y a un lien extrêmement profond. Enfin la chasteté conduira au refus de tout purisme dans la vie spirituelle. Le purisme, le perfectionnisme, cela ressortit toujours à ce monde originel qu'il faut quitter.

Renoncer à un monde sans différence...

Deux exemples parmi beaucoup d'autres possibles :

• Etre chaste dans la vie communautaire, cela veut dire quoi ? Cela veut dire combattre le « mythe » actuel — souvent promu dans les écrits d'auteurs pseudo-spirituels, — de la transparence totale... Il faudrait tout se dire, être totalement transparents les uns les autres. Vous sentez combien cela, qui d'ailleurs déclenche inévitablement angoisse et violence, a quelque chose à voir avec le monde fusionnel qu'il faut quitter...

• Etre chaste, ce sera refuser de conquérir tout, tout de suite. L'immédiateté, c'est le refus des différences temporelles. Construire sa vie, et sa vie spirituelle, demande beaucoup de temps ; et toute impatience est radicalement contraire à la chasteté. Saint François de Sales disait : « Ne soyez pas impatients ; bien plus, ne soyez même pas impatients devant vos incapacités à devenir patients ».

Ainsi la chasteté apparaît comme étant, par définition, *« altérisante »* (néologisme qui viendrait du latin « alter »). Elle rend l'autre plus autre, et moi-même plus moi-même. Au lieu d'altérer l'autre, d'abîmer l'autre, la chasteté « altérise », elle promeut l'autre.

Renoncer à un monde de toute-puissance...

Comme renoncement à la toute-puissance, la chasteté porte le soupçon sur toute ascèse qui chercherait une maîtrise *absolue* de soi-même. Certains grands ascètes peuvent finalement être qualifiés « d'incestueux ». Ils ne supportent pas que quelque chose leur échappe.

De même, la chasteté amènera à entretenir un rapport au *trouble* et aux *plaisirs* qui soit à sa juste place. Une vie qui chercherait à bannir tout trouble ou tout plaisir est finalement une vie psychologiquement non-chaste, car c'est une vie qui cherche à nier les dépendances. Je m'explique : quand je suis troublé par quelqu'un ou par quelque chose, quand je suis en train d'éprouver un plaisir, de quelque ordre qu'il soit, je ne peux plus me prétendre indépendant de tout : voici que ce trouble ou ce plaisir est provoqué par une image, par un son, par une molécule de parfum, par la courbe d'un corps, par une boisson, etc. Le trouble et le plaisir peuvent donc m'apprendre que je ne suis pas tout-puissant, puisque si dépendant des réalités de ce monde, même inanimées.

Ainsi, curieusement, la continence, comme abstention de plaisir génital, peut *parfois* être le symptôme d'un refus de vraie chasteté, comme la non-continence peut l'être aussi... Vous voyez que l'on n'est pas nécessairement chaste parce que l'on est continent.

Renoncer à coïncider avec son origine...

Trois exemples :

• Est non-chaste toute façon, tout désir de vouloir *coïncider avec Dieu,* de vouloir fusionner avec celui que l'on juge être son créateur. Autrement dit, toute spiritualité qui installe plus ou moins dans la magie, où la toute-puissance de Dieu serait immédiatement à notre disposition (c'est quelquefois la tentation de *certains* groupes charismatiques) ; tout type de spiritualité qui laisse croire que l'on rencontre Dieu immédiatement sans devoir en passer par les dures et longues médiations humaines des recherches politiques, sociales, affectives, etc. Tous ces types de spiritualités sont en réalité des types de spiritualités « incestueuses » et non-chastes, car elles cherchent à coïncider avec Dieu.

• De même, est non-chaste toute spiritualité qui laisserait croire que l'on peut totalement coïncider avec son corps sexué jusqu'à le maîtriser totalement et jusqu'à pouvoir dire : « je suis mon corps ». Or s'il est vrai que l'on n'*a* pas un corps comme l'on *a* un vêtement, il faut toujours prendre acte que le corps est en situation d'échapper partiellement à la maîtrise du « je » ou de la volonté du sujet.

• Enfin, est non-chaste toute sexualité qui se vit dans le registre du « ne... que », car alors il y a recherche d'un objet total qui viendrait saturer le manque qui habite la personne.

A chaque fois que, dans des propos spirituels, communautaires, on entend «ne... que», il est fort probable que ce soit des propos de type «incestueux»: «Je ne veux connaître que Dieu». «Dieu me suffit». «Il n'y a que la prière qui est importante». Autant d'expressions qui sont un refus de la faille, un refus du manque.

Vaste chantier, travail jamais achevé...

Pour parler maintenant en positif et d'un point de vue *moral,* on peut dire qu'être chaste, c'est *aimer, vivre* le manque, *différencier.* De façon plus descriptive, on pourrait affirmer qu'est chaste une personne qui *tente* de vivre sa sexualité de façon à *construire ses relations* au cosmos et aux autres dans la reconnaissance du *manque* qui l'habite ou des différences qui la constituent.

Une personne chaste, en effet, cherche à *construire ses relations,* non seulement aux personnes, mais aussi au cosmos, à toute réalité qui l'entoure: le soleil, les fleurs, le sable, la mer, le vin, la musique...

Ainsi la chasteté a un domaine extrêmement étendu. Elle concerne mes rapports à mes proches, mais aussi mes rapports à mes activités, à ma prière (il y a des façons de prier qui ne sont pas chastes), à tout ce qui m'entoure, à tout ce qui me constitue: nourriture, sommeil, parfums, musique, vêtements, soleil, etc. On est bien loin de la chasteté identifiée ou réduite à la continence!

Enfin rappelons que la chasteté est une *tâche* et non pas un état. C'est une *tâche qui n'est jamais finie* que chacun tente de mener *à partir de* l'organisation psycho-sexuelle qu'il a atteinte ici et maintenant dans sa vie, à partir de là où il en est de sa sexualité. Comment faire autrement d'ailleurs? Certains seront amenés à conduire cette tâche à partir de structures psycho-sexuelles particulières qui sont les leurs à tel moment de leur vie. Par exemple, certains auront à conduire leur tâche de chasteté à partir de «structures» homosexuelles, ou à partir d'inhibitions qui les habitent — inhibitions diverses: peur de la femme, de l'homme, etc. — ou à partir de passages à l'acte masturbatoire compulsif, etc., etc. Mais de toute façon, chacun, quel que soit l'état psycho-sexuel qu'il a atteint, aura à gérer ces particularités. Cette gestion conduira parfois à les dépasser, quand cela s'avère possible et souhaitable. D'autres fois, les sujets auront à construire leur vie sexuelle à travers l'ambivalence de leurs particularités sexuelles qui s'avèrent indépassables. Je pense, par exemple, à des personnes homosexuelles.

Cette tâche de régulation de la sexualité exige beaucoup de lucidité, quelquefois beaucoup de courage... Elle exige toujours beaucoup d'amour et beaucoup d'humour.

Sens chrétien de la chasteté

Une grande conviction jaillit du message biblique : il n'est possible de rencontrer Dieu que si l'on assume en vérité l'humanité sexuée. Recueillons les indications de deux pages fondamentales : Genèse 2,25-3,13 ; Philippiens 2,5-11.

La tentation d'Adam et Eve

Ce récit nous montre de façon mythique la condition d'Adam et Eve dans le jardin d'Eden. Ils nous y sont présentés comme vivant pleinement, parce que marqués par le désir, désir entretenu par les différences et le manque respectés :

— différence entre Dieu et les créatures ;
— différence sexuelle, vécue sans honte ;
— différence entre les arbres « autorisés » et l'arbre « interdit ».

L'arbre qui manque au pouvoir de l'homme et de la femme est objet de désir (v. 6). Ainsi le texte nous dit quelle est la condition de la vraie vie humaine en Dieu (v. 3) : désirer en reconnaissant les différences.

La tentation se fait jour alors chez Eve et Adam. Le serpent invite les deux créatures à mettre fin au désir en mettant fin aux différences. Le tentateur fait miroiter les promesses de l'imaginaire : « Si vous saturez votre désir en accédant à l'arbre manquant, vous serez *comme des dieux* ». La tentation est donc claire : il s'agit de quitter la condition humaine pour accéder à ce que l'on n'est pas : devenir « dieux ». Cela se fait, nous dit le mythe, par le refus de l'interdit, par le refus du désir, par le refus de l'altérité divine. On connaît les conséquences de tels refus; toutes les relations aux réalités humaines les plus importantes sont viciées: relation au travail, à la fécondité et aussi, et surtout, à la sexualité. Adam et Eve sont désormais mal à l'aise avec leur sexualité (vv. 7-10), puisque la sexualité est ce qui rappelle la différence, ce qui rappelle que l'on n'est pas tout, mais qu'on est bel et bien créature.

Etre dans un sain face à face avec Dieu, c'est accepter pleinement d'être créature manquante, créature sexuée. C'est se plonger dans la réalité humaine au lieu de vouloir la fuir. C'est ce que nous rappelle encore plus clairement le texte de Paul aux Philippiens (2,5-11).

Jésus, nouvel Adam, pleinement Dieu et homme

Dans cet hymne, Paul oppose l'attitude du Christ, nouvel Adam, à celle du premier Adam. Alors que ce dernier a voulu ravir le rang de Dieu en niant la condition humaine du désir, du manque, de la mort, Jésus au contraire va se plonger à fond dans la réalité humaine. Loin de «considérer comme une proie à saisir d'être l'égal de Dieu», Jésus prend la condition d'homme en toutes choses. Adam veut se déshumaniser. Jésus, lui, s'humanise pleinement, et il s'humanise par l'amour; car c'est l'amour solidaire de ceux qui sont dans la plus forte situation de manque, les exclus, c'est l'amour qui conduit Jésus à la croix. L'exaltation de Jésus par le Père vient donc couronner le partage plénier par le Fils de la vraie condition humaine. Le mystère pascal, centre de ce texte, est donc l'annonce que l'humanisation conduite dans l'humilité (d'ailleurs il n'en est point d'autre) est le passage obligé de la rencontre de Dieu.

Conséquences pour le célibat

Ces textes nous fournissent aussi un critère biblique pour juger de la qualité de nos vies sexuées et du sens chrétien que nous leur donnons.

Tout ce qui dans celles-ci serait prétention de quitter notre condition humaine actuelle, serait en même temps volonté dé-créatrice et donc anti-chrétienne. Tout ce qui dans nos vies sexuées voudrait nous installer dans un au-delà eschatologique déjà *pleinement* réalisé, alors que nous sommes ici-bas, serait volonté de toute-puissance, semblable à celle d'Adam et d'Eve. Et si nous sommes célibataires, notre célibat devra se soumettre au mystère pascal qui est toujours la promesse de Dieu de nous humaniser à fond, à la suite du Christ, dans la reconnaissance de notre mort et par-delà cette mort. Notre célibat devra être un des éléments par lesquels nous aurons à assumer humblement notre condition de créature sexuée.

Assumer cette condition, ce sera quitter nos prétentions à être plus puissants que nous ne le sommes.

La vraie foi en Jésus-Christ, Fils de Dieu, Sauveur, peut soutenir très fort cette recherche difficile qui s'opérera dans la mouvance reconnue de l'Esprit de liberté.

VIVRE CHRÉTIENNEMENT DES DIFFICULTÉS SEXUELLES [11]

La mise en place de la sexualité, lors de la petite enfance est d'une grande complexité. Les pages précédentes l'auront fait soupçonner. Aussi n'est-il pas rare que des sujets, en raison d'une évolution sexuelle infantile peu saine, subissent pendant de longues années, voire pendant toute leur vie, des difficultés sexuelles indépassables. Je pense par exemple à telle femme qui, depuis des mois, est engagée dans une pratique masturbatoire intense, ou à tel homme qui, de façon quasi irrésistible, se retrouve à fréquenter les cinémas pornos ou encore à telle personne qui trouve une profonde complaisance à entretenir en elle tout un jeu de fantasmes érotiques, parfois un peu pervers. Quelle peut être alors l'attitude de

11. Prêtres Diocésains, août 1981.

celui qui écoute devant ce type de personnes qui viendraient à se confier à lui ? Tentons de répondre à cette question en donnant des points de repère assez précis. Qu'il soit cependant bien entendu que ces quelques pages ne sauraient s'appliquer à toutes les situations possibles. Le «conseiller» doit en effet veiller à toujours écouter ce qu'il y a d'unique au monde dans la personne qui lui parle et à adapter en conséquence son comportement.

Premier repère : ne pas confondre le conscient et le volontaire

Un des grands apports des sciences humaines contemporaines est d'avoir aidé à mieux prendre conscience des importants conditionnements physiologiques, psychologiques, sociaux qui pèsent sur les conduites des personnes. Il n'est pas de liberté humaine qui puisse se vivre hors de ces conditionnements. De façon lapidaire, on pourrait dire que la liberté ne consiste pas à ne pas être conditionné, mais bien plutôt à faire un sain usage de ses conditionnements indépassables. Ces réflexions valent évidemment aussi pour le domaine de la sexualité. De très nombreuses personnes font l'expérience qu'elles sont comme emprisonnées dans des conditionnements sexuels qu'elles ne savent pas bien nommer mais qui n'en sont pas moins présents. Par exemple, un prêtre qui a depuis de longues années une pratique masturbatoire hebdomadaire me disait : *« Certains jours, je sais intérieurement, à mon réveil, qu'aujourd'hui je me masturberai ! Et de fait, c'est ce qui arrive. Pourtant, je lutte fort ! »* Il paraît clair, dans un tel cas, que l'on est devant une conduite consciente (ce prêtre fait, consciemment, les gestes nécessaires à l'obtention de l'orgasme) et pourtant non volontaire (c'est manifestement *« plus fort que lui »*). On trouve le même genre d'expérience chez beaucoup de sujets homosexuels qui se retrouvent malgré eux à *« draguer »*, ou encore chez de nombreuses personnes atteintes de voyeurisme, etc. En termes techniques, ce type de sexualité où les passages à l'acte s'avèrent irrésistibles, s'appelle une sexualité *compulsive*. Les causes de cette compulsivité sont souvent mal connues et, de toutes façons, varient suivant les sujets. Le plus souvent, la compulsivité est d'origine éducative, mais il arrive qu'elle soit due à un dérèglement physiologique. L'important pour celui qui écoute n'est pas de pouvoir nommer les causes, mais de prendre acte de cette force irrésistible qui parcourt le sujet. Il est à noter que ces découvertes récentes des sciences humaines ne font que prolonger l'intuition des théologiens moralistes d'autrefois qui, au lieu de compulsivité, parlaient de *« mauvaise habitude »*. On gagnerait parfois à relire les réflexions des grands moralistes à propos des *« habitudinaires »*. On serait étonné alors du bon sens et de l'ouverture d'esprit de ces théologiens. Par exemple, saint Alphonse de Liguori enseigne que l'on peut déclarer *« habitudinaire »* un sujet homosexuel si, malgré une lutte sérieuse, il a un passage à l'acte mensuel pendant un an [12].

Cette distinction *conscient/volontaire* permet de bien saisir que, dans le domaine de la sexualité, il arrive assez fréquemment qu'un acte soit objectivement très insatisfaisant et ne soit pas pour autant un péché, c'est-à-dire l'expression d'une volonté de se détourner de Dieu.

Deuxième repère : s'assurer que telle conduite est globalement compulsive

Prendre acte de l'involontaire d'une conduite risque de mener au laxisme si l'on n'a pas d'abord cherché à s'assurer que cette conduite est bien *globalement* compulsive. Je dis globalement car tout sujet fait l'expérience que, malgré ses forts conditionnements, tel ou tel de ses passages à l'acte précis aurait pu être évité. Comment juger alors de l'existence d'une compulsivité ? Par le bon sens humain et évangélique ! Si un sujet expérimente depuis des mois, voire des années,

---

12. *Praxis confessarii,* n° 70 ; cf. aussi article « Habitudinaire » in *Catholicisme* V. Paris, 1962.

qu'il est parcouru de désirs incoercibles; s'il a essayé, avec grand sérieux, les moyens classiques du combat spirituel: prière longue, vie sacramentelle profonde, ouverture à un directeur spirituel, don de soi réel aux autres, ascèse sérieuse, volonté de briser le cercle de la solitude... et s'il continue, malgré tout, à retomber toujours dans les mêmes passages à l'acte sexuel, il est hautement probable que ses conduites soient compulsives. D'un point de vue spirituel, il serait alors malsain que le sujet appelle péchés ces passages à l'acte qui sont, en fait, l'expression de difficultés psychologiques ou somatiques.

Troisième repère: inviter parfois à consulter un spécialiste

Constater l'incoercibilité d'une conduite permet de mieux situer la responsabilité peccamineuse d'une personne et de ne pas l'enfermer dans des devoirs impossibles ou encore de ne pas la soumettre à un faux discours sur la miséricorde de Dieu. Cependant, il arrive que la personne souffre très fortement de cette compulsivité, ou que ses conduites rejaillissent en mal sur l'entourage ou sur la société. Il faut évidemment faire réfléchir la personne à cet aspect des choses et ne pas lui tenir un discours spirituel démobilisant qui l'empêcherait d'essayer de toucher aux causes de sa compulvisité. Pour cela, il est bon de resituer les difficultés sexuelles dans un tableau clinique beaucoup plus vaste. Ces difficultés sont-elles mal assumées? S'inscrivent-elles dans l'histoire d'une vie très tourmentée? Y a-t-il, chez le sujet, d'autres symptômes que les symptômes sexuels: angoisses, insomnies, peurs relationnelles, envies de mourir?... La conduite du sujet est-elle dégradante pour d'autres personnes? Si l'on peut répondre oui à la plupart de ces questions, il est souhaitable d'inviter le sujet à consulter un spécialiste, le plus souvent un psychothérapeute. Celui-ci verra alors s'il est possible de faire une thérapie ou si, au contraire, il vaut mieux ne pas *« toucher »* à la personnalité du sujet sous peine de faire plus de mal que de bien. Il est évident qu'il faut seulement *inviter* la personne à consulter (même s'il faut le faire parfois avec une certaine fermeté) et non pas lui présenter cette consultation comme un devoir. Il est, en effet, des personnes qui sont, psychologiquement, incapables de faire une telle démarche.

Quatrième repère : aider à passer de l'humiliation à l'humilité

La plupart des chrétiens qui subissent des passages à l'acte sexuels compulsifs ressentent de très fortes culpabilités, au moins dans les premiers temps. Ils ont tendance à avoir une très mauvaise image d'eux-mêmes : *« Je ne suis vraiment pas normal ; il n'est pas possible que Dieu m'accueille avec de telles mauvaises pulsions et conduites ; de toute façon, ça ne sert à rien de lutter, je retomberai quand même !... »* Le danger est grand alors, pour la personne, de se mirer dans le mépris qu'elle a d'elle-même ; ceci d'autant plus qu'elle croit que l'intensité de l'amour de Dieu pour elle augmente avec l'intensité de son humiliation.

Il est absolument nécessaire d'aider le sujet à démasquer la stratégie inconsciente de recherche de soi que représente une telle complaisance dans l'humiliation. Pour cela, celui qui écoute convoquera d'abord le sujet à lire avec beaucoup de calme et de lucidité les circonstances et les conséquences objectives de ses actes compulsifs. Il apparaîtra souvent, après un tel examen, que la culpabilité n'est pas en proportion avec la gravité objective du comportement. Par ailleurs, la personne sera invitée à regarder en face le Dieu de Jésus-Christ qui n'a pas grand-chose à voir avec le dieu créé par ses fantasmes. Elle découvrira alors peu à peu, que Dieu ne désire pas l'humiliation, c'est-à-dire l'autodépréciation, de l'homme. Ce que Dieu désire, c'est l'humilité, c'est-à-dire la sereine reconnaissance du réel. Ainsi la personne comprendra, peu à peu, que ses difficultés sexuelles ne sont qu'une des nombreuses manifestations de sa condition de créature finie qui n'est pas totalement maîtresse chez elle. Un chemin s'ouvrira qui permettra de saisir que l'on peut devenir par le don de Dieu, un grand saint, malgré des difficultés sexuelles indépassables.

LIVRES D'INFORMATION SEXUELLE ET MORALE [13]

De nos jours, beaucoup de parents ont pris l'habitude de mettre entre les mains de leurs jeunes enfants un livre d'information sexuelle. Soucieux d'opérer une saine démarche éducative, ils se préoccupent de connaître la valeur éthique de l'ouvrage qu'ils vont confier à leur garçon ou à leur fille.

Ce chapitre voudrait aider le lecteur à discerner la qualité éthique des livres d'information sexuelle. Contrairement à ce que l'on pourrait penser, il ne suffit pas de vérifier si, en son fond, le texte transmet un savoir sur la sexualité conforme à ce que pense l'Eglise. En effet, cette vérification, toute indispensable qu'elle soit, laisse de côté l'analyse de deux réalités fondamentales sur lesquelles je voudrais attirer ici l'attention: les présupposés des auteurs et la morale implicite de l'ouvrage. Pour mieux me faire comprendre, j'examinerai ces deux éléments à partir d'un livre précis: le volume de l'*Encyclopédie de la vie sexuelle* édité par Hachette, destiné aux enfants de *dix-treize ans* [14]. J'ai choisi cet ouvrage en raison de son succès considérable qui assure sa diffusion dans toutes les librairies et grandes surfaces de France, et en raison des nombreuses louanges dont il fait l'objet [15].

---

13. Prêtres Diocésains, déc. 1978.

14. Hachette, 1973.

15. Voir au dos du livre les recensions très élogieuses du *Monde,* de *L'Express,* de *France-Soir,* de *L'Humanité-Dimanche,* des prix Nobel A. Lwoff et J. Monod, etc.

Quels sont les présupposés et les motivations des auteurs ?

Ce n'est jamais par hasard que l'on se met à écrire un livre, surtout quand ce livre porte sur la sexualité. Sans faire un procès d'intention aux auteurs, il est donc toujours bon de vérifier si les motivations et les présupposés anthropologiques qui poussent à l'écriture sont acceptables.

Dans le livre examiné, il est évident que le dessein des auteurs est apparemment positif: il s'agit pour eux d'éduquer en informant. «Ce livre que nous vous proposons, écrivent-ils aux parents, nous semble être un gage de meilleure entente entre vous et vos enfants».

Un tel dessein, bien optimiste dans sa formulation, n'est pas sans soulever de graves interrogations. Certes, il ne saurait être question de nier l'utilité d'une information sexuelle bien faite. Beaucoup d'adultes ont trop souffert du silence sur «les choses de la vie» pour ne pas percevoir qu'il est bon pour l'enfant de connaître des éléments de physiologie et de psychologie sexuelles. Mais précisément, dans le désir d'informer, c'est souvent l'enfant d'autrefois, celui que nous avons été, qui demande quelque chose; «il est le parent d'aujourd'hui qui veut obtenir réparation et qui réclame que soient épargnés à sa progéniture la honte, la culpabilité et le silence qui furent son lot» [16].

Dès lors, le risque surgit de tomber dans plusieurs erreurs, que n'évitent pas toujours les livres d'information sexuelle:

— Une première erreur consiste à croire que l'enfant désire toujours être informé. Or l'expérience de la psychanalyse montre que beaucoup de jeunes veulent, en leur inconscient, éviter de savoir certaines choses. D'où l'énorme ambiguïté de la volonté d'informer à tout prix. Comment l'information va-t-elle s'intégrer dans le désir de l'enfant? Va-t-elle ou non renforcer ses défenses inconscientes? Va-t-elle être apaisante ou angoissante?... Autant de questions dont l'éducateur

16. *Encyclopædia universalis, Supplément,* article: «Education sexuelle», 302.

ignore les réponses. Il ne faut donc pas s'imaginer qu'un livre ne peut avoir que des effets positifs.

— Une deuxième erreur conduit à survaloriser l'importance du savoir intellectuel sur le sexe. C'est ainsi qu'en bien des pages, le livre de la collection *Hachette* donne à penser qu'il suffit d'informer pour que l'enfant fasse l'économie des difficultés sexuelles (pp. 84, 90). A la limite, le savoir pourrait dispenser du devoir, c'est-à-dire de l'effort éthique. On voit pointer là une tentation toujours renaissante, celle du salut par la connaissance.

— Enfin, on se trompe encore quand on pense que la médiation du livre va supprimer les difficultés de dialogue entre les parents et l'enfant. Il est vrai qu'un ouvrage peut être un bon support pour une discussion, mais il peut être aussi pour les parents une façon de camoufler leur malaise intérieur. Les enfants ne sont d'ailleurs pas dupes. En vérité, il faut dire que le dialogue sur la sexualité est nécessairement marqué par un certain embarras. Ce qui n'est pas forcément un mal ! Cela montre à l'évidence que la sexualité n'est jamais un « problème » dont on peut faire le tour, mais un « mystère » qui nous implique.

Ainsi, un livre d'information sexuelle n'est pas un livre comme les autres. Le remettre à l'enfant c'est lui dire quelque chose de notre désir envers lui ; c'est aussi exprimer partiellement notre manière d'être par rapport au sexe ; bref, la remise d'un livre manifeste et provoque toujours une série de souhaits conscients et inconscients qui ne sont pas tous structurants des personnalités.

Quelle est la morale implicite de la forme de l'ouvrage ?

Quand ils ne sont pas explicitement chrétiens, la plupart des ouvrages d'information sexuelle prétendent informer dans un souci de neutralité éthique. C'est le cas de l'*Encyclopédie de la vie sexuelle.* Or c'est là une illusion. Tout ouvrage de ce genre est nécessairement porteur d'une morale ; d'une part par ses prises de position explicites sur certains problèmes (masturbation, fidélité conjugale, régulation des naissances, etc.); d'autre part par l'anthropologie et l'idéologie *implicites* qu'il met en œuvre. Il faut donc prêter une extrême attention aux données implicites de l'ouvrage. Ce sont les plus importantes parce que les moins repérées par le lecteur qui en subit cependant l'influence subreptice. Ces données proviennent de deux aspects: la forme du livre et son fond. Ne sera examinée ici que la morale induite par la *forme,* celle à laquelle peu de lecteurs pensent spontanément. Et pourtant, forme et fond dans un livre d'information sexuelle pour enfants sont si indissociables qu'il faudrait presque affirmer que le fond ici c'est la forme!

L'éducateur doit donc se poser plusieurs questions à propos de la présentation de l'ouvrage:

Celle-ci est-elle esthétique ou non?

On sait que l'un des dangers de ce genre de livres est d'inviter le lecteur au voyeurisme, ou encore de présenter la vie sexuelle comme un objet purement scientifique. Or un texte poétique et une illustration esthétique permettent à l'enfant de mieux situer le trouble qui surgit parfois en lui à la lecture de l'ouvrage. Ils font aussi comprendre que la sexualité n'est pas une réalité «sale». Plus encore, en convoquant l'imaginaire de l'enfant, esthétique et poésie ouvrent la réflexion sur une autre dimension que celle de la froide objectivité scientifique, préparant ainsi l'enfant à un questionnement moral.

La présentation donne-t-elle place à la réalité sexuelle dans sa complexité?

La tentation habituelle des auteurs est, sous prétexte de retirer tout tabou sur le sexe, de décrire la vie sexuelle de façon simpliste et surtout idéalisée. Par exemple, toutes les photos qui illustrent le texte ne présentent que des anatomies parfaitement harmonieuses, alors qu'un très grand nombre de personnes ont des corps disgracieux. Ou encore, texte et illustrations occultent les inévitables limites, voire échecs, de la vie génitale ou amoureuse. Les familles photographiées donnent l'impression qu'elles vivent toujours dans le bonheur. La dimension agressive de la vie sexuelle est passée plus ou moins sous silence. Bref, à vouloir laver la sexualité du soupçon que l'on met sur elle, on la projette dans un monde si irréel qu'on prépare le jeune devenu adulte à la trouver bien décevante. Il me semble que le livre de la collection *Hachette* n'échappe guère à ce défaut.

Quelle est l'image du bonheur transmise par le livre?

Par exemple, dans le livre étudié ici, le savoir sur le sexe est donné au lecteur à travers le récit d'une histoire: celle de deux enfants qui reçoivent l'information sexuelle de leurs parents. Cette idée pédagogique est bonne. Mais à y regarder de plus près, on s'aperçoit que cette histoire transmet et contribue à entretenir une image du bonheur tout à fait stéréotypée. Celle d'une famille de deux enfants (un garçon et une fille!) nés d'un couple parfaitement épanoui, cultivé, libéré totalement dans sa parole sur le sexe, n'ayant jamais commis de fautes éducatives, disposant de ressources financières importantes, etc. Pourquoi cette image du bonheur serait-elle la plus morale? Pourquoi, après tout, ne pourrait-on pas imaginer que l'on puisse réussir sa vie dans une famille ouvrière de cinq enfants, où il y a parfois des moments durs et où il n'est pas si facile que cela de parler de sexualité? Si l'on n'y prête pas attention, on impose aux enfants des modèles de la réussite humaine qui sont parfois loin de consonner avec l'esprit des béatitudes.

Comment les rôles respectifs de l'homme et de la femme sont-ils présentés?

Ces rôles sont-ils décrits suivant les modèles sociaux dominants ou suivant des contre-modèles? Chez *Hachette,* il ne faut déplaire à personne. Alors on trouve une solution qui est censée s'imposer à tous les couples! A côté de la photo représentant la mère travaillant avec un ordinateur, on lit ces propos du père à ses enfants: « Voyez-vous, maman réussit quelque chose de difficile et pourtant d'indispensable. Elle a su garder intacte sa féminité, tout en exerçant un métier d'homme. Elle travaille autant que moi, mais elle garde une place privilégiée pour l'amour et le plaisir» (p. 82). Décidément, avec ce livre nous vivons apparemment dans la perfection... mais aussi dans le rêve!

Quelles sont les conduites promues par la forme de l'ouvrage?

Par exemple, dans l'*Encyclopédie,* l'examen des photos impose une évidence à l'enfant: il est toujours moralement bon, c'est-à-dire humanisant, pour les membres d'une même famille de se montrer mutuellement leur nudité. On voit, en effet, à plusieurs reprises, sur les photos, le garçon et la fille tout nus en train de jouer avec leurs parents dénudés.

Ce principe éducatif est bien simpliste. Les études psychologiques montrent en effet que la vision de la nudité d'un proche parent n'est en soi ni toujours bonne ni toujours mauvaise. En réalité, la vision de la nudité est toujours vécue dans une relation affective, et c'est la qualité de cette relation qui va décider en partie de l'effet de la vision. C'est ainsi que tel enfant, à tel moment de son existence, pourra ressentir la nudité de son père ou de sa mère comme une invitation plus ou moins incestueuse. Auquel cas, l'effet de la vision sera malsain. En fait, un présupposé erroné, partagé par maints de nos contemporains, habite les auteurs de l'*Encyclopédie:* il y a une bonne spontanéité du désir sexuel. Si on la laisse s'exprimer, elle ne peut que faire grandir la personne.

Un dernier exemple tiré de ce même livre montrera jusqu'où peut aller l'usage pernicieux de la forme pour appuyer le fond du texte. A la page 58, on voit un groupe d'enfants indiens affamés en train d'attendre leur nourriture; ce qui pour un lecteur de dix-treize ans est assez impressionnant. Or sur la page d'à côté, le texte présente ce qu'est la stérilisation des êtres humains. La photo permet donc de soutenir la position éthique des auteurs en faveur de la stérilisation des hommes indiens; position qu'ils font exprimer au garçon de la famille en lui mettant dans la bouche cette parole: «Autant nourrir six enfants que d'en voir mourir douze!»

Il y aurait sans doute encore bien des remarques à faire sur la morale implicite surgie de la forme des livres d'information sexuelle. Mais ces quelques pages auront globalement suffi à faire soupçonner qu'un texte apparemment moral peut être perverti partiellement par sa présentation et fonctionner auprès du jeune de façon bien peu structurante. Il ne suffit donc jamais de se fier à la conformité des *idées* du livre avec le christianisme pour déclarer cet ouvrage digne d'être confié à un enfant.

IIe PARTIE

Questions particulières

LES AMITIÉS FÉMININES DES PRÊTRES[1]

Le sujet abordé dans ce chapitre ne laisse jamais neutre. Chaque lecteur prêtre est, en effet, renvoyé à toute une série de questions : quelles ont été et quelles sont ses relations avec les femmes ? Quelle a été et quelle est la place de l'amitié dans sa vie ? Comment vit-il son célibat : avec joie ou avec lourdeur ?... De façon plus large, on peut affirmer que réfléchir sur la place des amitiés féminines dans notre vie, c'est toujours essayer de se lancer dans un effort d'analyse sur notre manière passée et présente d'assumer la vie sexuelle. Or cette analyse peut nous amener à découvrir les limites et les ambiguïtés de nos choix passés. Même si ces derniers étaient marqués de générosité, on peut prendre conscience d'un certain nombre de conditionnements qui ont favorisé des fuites inconscientes de la génitalité et de l'autre sexe, fuites devenues causes de problèmes relationnels ; ou encore, on est souvent contraint de percevoir les contradictions qui habitent nos désirs actuels : d'un côté l'état de vie presbytéral représente une source de réalisation de soi à la suite du Christ, mais, d'un autre côté, l'amour conjugal possible qui se profile à travers telle amitié féminine précise apparaît parfois plein de promesses d'avenir. Aussi est-il particulièrement difficile d'être au clair devant la question des amitiés féminines. Deux

1. *Prêtres diocésains,* mai 1982.

attitudes nous guettent spécialement. La première consiste à prolonger, voire à durcir, les consignes de fuite que l'on donnait souvent autrefois dans les séminaires: le prêtre cherche alors à ne ressentir aucun émoi affectif et prend immédiatement ses distances quand une relation avec une femme peut devenir privilégiée. La deuxième attitude, très fréquente aujourd'hui par réaction contre la première, donne à penser que l'amitié amoureuse avec une femme est le passage quasi obligé de l'épanouissement du célibataire prêtre et que cette amitié ne présente pas de problèmes réels. Excès de fuite ou excès de naïveté, tels sont les deux écueils que ces pages voudraient éviter. Pour ce faire, je donnerai quelques points de repère élaborés surtout à partir de mon expérience d'écoute des prêtres et des religieuses.

Une amitié privilégiée peut être positive

Précisons d'abord le type d'amitié dont il est question ici. Il s'agit d'une amitié *privilégiée,* c'est-à-dire d'un lien affectif fondé sur la sympathie, qui pousse à une communion profonde, tant dans le domaine des idées que dans celui des sentiments, et qui se traduit par une *réciprocité* réelle des confidences sur soi-même. Dans un tel lien, l'autre est objet d'attention privilégiée et source spécifique de joies et de préoccupations. De plus, les partenaires d'une telle amitié sentent que la force du désir sexuel n'est jamais totalement absente, même si elle est maîtrisée. Aussi n'hésitent-ils pas parfois à parler d'amitié *amoureuse* pour tenter de signifier qu'un tel lien est apparenté à l'amour conjugal tout en ne se confondant pas avec lui.

Des amitiés ainsi caractérisées sont numériquement assez rares dans la vie d'une même personne. Par contre, les conditions sociologiques de l'existence du prêtre font que celui-ci a de fortes chances d'être un jour ou l'autre confronté au surgissement d'un tel lien affectif. D'où l'importance de réfléchir sur les conditions de sa réussite. Car une telle amitié peut s'avérer une réussite humaine et chrétienne [2]. Il faut l'affirmer... tout en précisant aussitôt qu'une telle réussite ne surgit pas spontanément mais exige toujours de l'ascèse et, dans certains cas, un très rude combat.

En vérité, les amitiés privilégiées, comme toute autre réalité humaine, sont chargées d'ambiguïtés. Il arrive qu'elles soient surtout symptômes et occasions d'*aliénation*. C'est le cas si l'amitié s'installe dans une sorte de troisième voie entre le mariage et le célibat où l'on cherche à vivre les gratifications du lien conjugal tout en fuyant les responsabilités et les inévitables frustrations de celui-ci [3]. C'est encore le cas quand l'amitié se vit comme une recherche fusionnelle de l'autre ou comme une quête plus ou moins consciente d'un père ou d'une mère, ou comme une dénégation des pulsions sexuelles qui habitent toute relation humaine. Il arrive aussi qu'une amitié privilégiée représente une infidélité profonde à Dieu dans le presbytérat bien qu'elle soit vécue dans une continence parfaite: il n'est pas rare, en effet, que les rencontres avec l'amie deviennent ce qui organise la vie du prêtre aux dépens de la mission à laquelle Dieu l'a appelé.

Mais il est vrai aussi que certaines amitiés fortes s'accompagnent d'un processus *libérateur* de maturation des personnalités. Tel prêtre verra sa joie de vivre et ses capacités apostoliques se multiplier, parce que dans l'amitié il se sait reconnu, apprécié et aimé pour lui-même et non pas uniquement pour ce qu'il fait. Tel autre pourra franchir une crise difficile de sa foi ou de sa vocation parce qu'il trouvera auprès de lui l'oreille attentive d'une femme qui l'écoute et

---

2. L'expérience de certains saints nous le montre: par exemple, celle de saint François et de sainte Jeanne de Chantal. Il ne suffit pourtant pas d'invoquer de telles amitiés pour vivre celles d'aujourd'hui. Les conditions sociologiques sont en effet radicalement différentes.

3. Cette troisième voie est faite d'une amitié où l'on vit un lien affectif très fort avec une femme, où l'on a des relations sexuelles ou des gestes très érotiques avec elle; l'ensemble de la relation étant de surplus vécu dans une certaine clandestinité.

l'accueille dans sa faiblesse même [4]. Tel autre encore dépassera peu à peu des immaturités affectives ou des peurs sexuelles parce qu'il découvrira en la personne de son amie que l'altérité accueillante et reconnue est source de vie...

On le devine, vouloir faire l'inventaire complet des chances et des risques possibles des amitiés privilégiées est vain. Retenons simplement que chances et risques sont toujours profondément entremêlés. Le principal est donc d'agir de façon à permettre aux chances de surgir de façon dominante, tout en sachant que les risques restent toujours présents tant que l'amitié dure. Rappelons pour cela quelques recommandations de bon sens que des écrits trop optimistes sur les amitiés privilégiées ont eu tendance récemment à faire oublier.

Etre vrai avec soi-même

Le surgissement de tout lien affectif un peu profond s'accompagne toujours d'une série de phénomènes bien recensés maintenant par la clinique psychanalytique [5]. Parmi ceux-ci, signalons la réactivation d'expériences infantiles gratifiantes qui confirme la formule de Freud selon laquelle «toute trouvaille est en même temps retrouvaille». Concrètement, cela signifie que l'ami(e) est toujours en *partie* vécu(e) par son partenaire comme un substitut des personnages gratifiants rencontrés ou simplement *souhaités* dans l'enfance. D'où une réaction d'idéalisation qui occulte plus ou moins les défauts de l'autre et qui fait attendre de la relation amicale plus qu'elle ne peut donner en fait. C'est ce que le langage populaire traduit par le dicton: «l'amour rend aveugle». Certes, il ne faut pas exagérer l'importance de ces réactions inévitables d'idéalisation, mais il ne faut pas non plus sous-estimer leur puissance. S'il veut être responsable, le prêtre qui

4. On a d'ailleurs là un critère de la véritable amitié: la capacité de dépasser les déceptions apportées par le partenaire.

5. Cf. J.G. Lemaire, *Le couple, sa vie, sa mort,* Payot, 1979.

découvre soudain qu'il est amoureux ou quasi-amoureux d'une femme se doit donc d'être, autant que faire se peut, vrai avec lui-même. Tout d'abord en nommant les choses par leur vrai nom, c'est-à-dire en appelant amour ce qui l'est. De plus, s'il perçoit qu'il a tendance à vouloir ne pas regarder la réalité en face, c'est sans doute le signe qu'il est temps de s'ouvrir à quelqu'un de compétent qui aidera à faire la lumière et parfois à *« dégonfler les baudruches »* des réactions psychologiques par trop infantiles. L'expérience montre qu'un certain nombre de prêtres se sont trouvés entraînés dans des amitiés qui ont mal tourné parce qu'ils ont trop attendu pour commencer une « opération vérité ».

« Faut-il aussi faire la vérité avec l'amie, c'est-à-dire lui déclarer, dès qu'on s'en aperçoit, que l'on éprouve de l'amitié, voire de l'amour pour elle ? », demandent parfois certains. La réponse à une telle question ne peut être uniforme. Il est des cas et des moments où il faut savoir se taire et d'autres où il est bon de s'expliquer longuement. Cela dépend de la maturité des partenaires et surtout de la signification que prend chez ceux-ci une déclaration d'affection profonde. Il se peut, en effet, que les paroles ne retentissent pas du tout de la même façon chez les deux amis en raison de leurs passés affectifs très différents. La régulation de la communication des sentiments est une tâche bien difficile !

Exercer sa responsabilité quant aux gestes

Vivre une amitié privilégiée, c'est inévitablement être confronté à la place du corps dans l'expression de l'affection. Aujourd'hui, l'embarras des auteurs spirituels sur ce sujet se fait grand. Ayant perdu la fausse certitude que donnaient les recommandations passées de refus systématique de tout geste, certains se lancent dans des explications qui veulent faire comprendre que *« le corps n'est pas nié mais dépassé »* ; d'autres citent Teilhard de Chardin pour affirmer de façon péremptoire, et à mon avis erronée, que *« tout amour vrai tend à se virginiser»*. En raison de quoi, un certain nombre de lecteurs prêtres en tirent la conclusion que dans la relation amicale les *« gestes de tendresse »* sont indispensables et sans problèmes. Or la réalité n'est pas si simple ! Comme il serait malsain de donner des recettes ou des *« permissions »,* je me contenterai ici de rappeler quelques évidences anthropologiques dont chacun doit tenir compte pour assumer ses responsabilités :

a) Toute relation humaine est sous-tendue par une intrication de pulsions sexuelles partielles [6]. Il est donc vain de croire que le désir érotique puisse devenir *totalement* absent d'une amitié. Il peut être très faible ou très bien contrôlé, mais les pulsions partielles multiples exercent toujours une pression qui, en général, se fait plus ou moins forte suivant les moments de la vie. La tendance vers la *« virginisation »* n'est donc jamais spontanée ni acquise une fois pour toutes.

b) Un *« geste de tendresse »* engage en général plus qu'une simple parole, surtout si ce geste est précédé de paroles affectueuses réciproques. Dans une société qui a tendance à trop banaliser l'usage du corps sexué, il est sans doute bon de réaffirmer cette donnée anthropologique.

c) En raison de l'organisation pulsionnelle unique au monde de chacun, un même geste peut être ressenti très différemment par les deux partenaires. Ce qui est vécu par l'un comme très peu impliquant peut être ressenti par l'autre comme une expression affectueuse ou érotique très troublante et engageante. Chacun doit donc tenter de se mettre à l'écoute des réactions corporelles de l'autre ; réactions conditionnées par une histoire et marquées parfois par des peurs qu'il faut savoir respecter.

Ces trois *« principes »* anthropologiques impliquent qu'il est absolument impossible de donner des règles détaillées et universelles sur l'usage du corps dans l'amitié. Mais il nous

---

6. Cf. le chapitre 3.

aident à comprendre que le degré de « liberté » dans l'expression corporelle des sentiments ne peut ni ne doit être unique pour tous et doit être réexaminé fréquemment. L'expérience séculaire [7] semble montrer en tout cas que, dans ce domaine, l'excès de prudence est souvent moins grave que l'excès de naïveté.

Vivre une certaine ascèse

Aimer conformément à l'Evangile exige toujours une certaine ascèse. Cela est vrai aussi bien de l'amour d'amitié que de l'amour conjugal. Notamment les deux partenaires d'une relation affective sont obligés de lutter contre l'excès spontané de narcissisme qui sous-tend inévitablement toute relation amoureuse, au moins à ses débuts. Aimer c'est toujours faire l'expérience de ruptures. Ruptures quant à la façon d'enfermer l'autre dans son désir ou quant aux idéalisations excessives, et même parfois rupture physique qui se traduit par un éloignement géographique. Il peut, en effet, arriver que les deux amis perçoivent, au bout d'un certain temps, que leur fidélité à Dieu doit en passer par l'arrêt de leur rencontre, tant l'amitié prend tournure d'amour conjugal. L'expérience semble montrer alors que cet arrêt n'est guère facile à vivre. Tout d'abord parce que l'évolution des deux partenaires n'est pas nécessairement la même : l'un veut prendre de la distance, l'autre se sent incapable d'assumer une séparation. Ensuite parce que la force des sentiments et des désirs sexuels qui ont surgi est telle que la rupture peut être ressentie comme une sorte de mutilation ou comme une blessure dont la douleur est lancinante.

La décision de rupture suppose donc un équilibre humain suffisant de chaque personne, un grand respect mutuel des partenaires, un dialogue profond entre eux et un réel courage qui permet d'affronter l'expérience crucifiante de la sépara-

---

7. Cf. par exemple, au IIIe siècle, les propos de saint Cyprien de Carthage : *Correspondance*, tome I, Paris. Les belles lettres, 1925, pp. 9-11.

tion. Un tel courage ne peut se trouver que si la personne a accepté dans le quotidien de sa vie de porter la croix du Christ (Mt 10,38).

Pour ceux qui ont été amenés à vivre une telle expérience, soulignons encore deux faits:

— Une décision de séparation est souvent marquée par des ambiguïtés. C'est vrai, une rupture peut être le signe d'une volonté de fidélité à Dieu. Mais il est rare qu'elle ne soit pas aussi le fruit d'un certain nombre de peurs dont le sujet prend parfois conscience plus tard. Si ces peurs ne sont pas extrêmement dominantes, la décision n'est pas pour autant sans valeur spirituelle.

— Il faut prendre acte que, la séparation étant effectuée, l'amie peut rester des années, voire toute la vie, présente dans le cœur, les désirs et les fantasmes du prêtre. Quand un lien affectif a été fort, il a en général des *« racines »* profondes dans la personne. Il est donc normal que le souvenir de l'amie ne s'estompe pas du jour au lendemain. Le prêtre ne doit pas d'ailleurs se donner comme objectif d'extirper de son cœur toute trace de l'amitié passée. Ce serait là une tâche impossible et déshumanisante. Il faut plutôt tenter de vivre tranquillement devant Dieu, sans chercher à les réactiver sans arrêt, les souvenirs plus ou moins gratifiants de l'expérience amicale. Mais il est des moments plus rudes: ceux où la solitude se fait plus grande. La nostalgie du lien affectif passé se réveille alors, sollicitant le prêtre à un acte de foi encore plus dépouillé envers Jésus-Christ qui l'appelle.

Ces quelques remarques sont beaucoup trop courtes pour avoir pu souligner adéquatement toutes les richesses et tous les risques des amitiés féminines. Peut-être, cependant, auront-elles permis au lecteur de reprendre conscience qu'une bonne régulation de ces amitiés suppose lucidité, réalisme, décentrement de soi, et invocation du Dieu dont la Parole *« passe au crible les mouvements et les pensées du cœur »* (He 4,12).

Eléments d'une réflexion éthique [8]

La pratique de la contraception dans nos sociétés occidentales est devenue chose banale pour beaucoup d'hommes et de femmes. Si banale que pour de nombreux chrétiens, l'utilisation d'une méthode contraceptive a cessé d'être un problème moral pour devenir purement et simplement un problème technique. Ce qui importe c'est de trouver la méthode la plus efficace et la plus satisfaisante d'un point de vue médical et psychologique. La dimension éthique de la conduite contraceptive est alors occultée, tant et si bien que les plaidoyers du pape en faveur des méthodes naturelles [9] apparaissent à beaucoup comme un combat d'arrière-garde. Or il me semble que cet effacement de la réflexion éthique est grave car il risque de soumettre les chrétiens et tous les membres de notre société à la pression subreptice d'idéologies bien peu conformes à la vérité évangélique. Je me contenterai ici, au risque de paraître simplificateur, d'énoncer quelques convictions anthropologiques et quelques repères éthiques à ne pas négliger sous peine de rendre déshumanisante la pratique contraceptive.

1. Mieux vaut parler de régulation des naissances

Les questions de vocabulaire ne sont jamais secondaires, car les mots sont chargés d'anthropologie. C'est pourquoi je pense qu'il faut employer l'expression « régulation des naissances » de préférence à celle de « contraception ». Ce dernier terme connote trop la seule opération technique par laquelle on empêche la fécondation de se réaliser. Au contraire, l'expression « régulation des naissances » implique d'emblée une dimension éthique. Elle fait comprendre qu'il ne s'agit

8. Revue *Choisir*, mai 1982.
9. Jean-Paul II, *Familiaris consortio* n° 31-34 in *Doc. Cath.*, 3-1-82.

pas de refuser la fécondité mais de faire naître en exerçant une régulation, c'est-à-dire en mettant en œuvre, de façon moralement responsable, le pouvoir de maîtrise sur lui-même que Dieu a confié à l'être humain.

2. Une pratique jamais anodine

L'idéologie sociale dominante voudrait faire croire que la pratique de la régulation des naissances est anodine : à la limite, il ne serait pas plus impliquant pour une femme d'absorber une pilule contraceptive que de boire un verre d'eau et les malaises ressentis dans le couple par la mise en œuvre de la contraception ne seraient que l'effet de tabous judéo-chrétiens mal dépassés. Une telle façon de penser ne résiste pas à une analyse scientifique sérieuse. Il faut affirmer que la régulation des naissances est toujours une pratique qui implique en profondeur les personnalités.

En premier lieu, les répercussions *physiologiques* de certaines méthodes contraceptives dites modernes ne sont pas toujours négligeables [10]. C'est bien pourquoi, la prise de contraceptifs chimiques doit se faire sous contrôle médical.

En second lieu, les *psychismes* des personnes qui mettent en œuvre la régulation des naissances sont profondément mobilisés. Utiliser une méthode contraceptive c'est en effet toujours être amené à une série de prises de position face à des réalités très importantes de la vie : le rapport à la sexualité et au plaisir, la relation au conjoint et aux enfants déjà nés, la façon de se situer comme femme ou homme dans la société, le désir d'être parent, le droit de regard de la médecine sur la vie privée, les positions éthiques de l'Eglise ou de l'entourage... On devine dès lors que toutes ces prises de positions ne sont pas sans répercussions, parfois considérables, sur les conjoints. D'autant plus que les recherches récentes de la psychanalyse font comprendre que l'*inconscient* est particulièrement actif dans la pratique de la régulation. La façon

10. Cf. *Laënnec*, hiver 1980-1981, la contraception : après vingt ans de pratique.

dont les conjoints ont assumé dans leur petite enfance leur découverte du sexe et de l'agressivité, leur rapport aux parents, la naissance de leurs frères et sœurs, intervient dans le choix de telle ou telle méthode. Plus peut-être que dans n'importe quel autre domaine, l'infantile exerce inconsciemment ici sa pression sur la décision de l'adulte.

C'est ce qui explique les nombreuses résistances involontaires à la contraception ou encore la faillibilité des méthodes qui ont pourtant une efficacité contraceptive certaine [11]. Par ailleurs le désir qui paraît simple de mettre au monde un enfant est constitué en fait d'un enchevêtrement de désirs multiples qui parfois peuvent être disjoints et qui viennent compliquer la mise en œuvre de la régulation des naissances. Par exemple, l'anthropologie constate que l'on peut distinguer chez une femme qui souhaite un enfant au moins sept désirs : aimer, être aimée, éprouver du plaisir génital, être pénétrée, être enceinte, avoir un enfant et enfin avoir cet enfant là, issu de telle relation sexuelle précise. Le plus habituellement, ces sept désirs sont associés, mais il arrive assez fréquemment que l'un ou l'autre soit absent. C'est ainsi que l'on verra telle femme, désirant être enceinte, refuser pourtant l'enfant qu'elle porte, ou encore telle autre voulant un enfant mais se faisant avorter parce que son lien actuel au conjoint est mauvais. On pourrait faire des remarques similaires concernant les désirs de l'homme. Tout cela fait comprendre l'extraordinaire complexité psychique de la régulation des naissances. C'est donc illusion de croire qu'une simple information sur les techniques suffira à supprimer les résistances à la contraception. C'est une plus grande illusion encore de croire que la pratique contraceptive n'a pas d'enjeux humains importants et peut donc se dispenser d'une régulation par l'éthique. La prise en compte de la dimension socio-collective du problème le souligne avec plus de vigueur encore.

---

11. Par exemple, il n'est pas rare qu'une femme oublie de prendre la pilule, de façon inconsciente, mais significative.

3. *Une pratique aux répercussions socio-collectives importantes*

Beaucoup de personnes se figurent que les conduites qui concernent la vie sexuelle relèvent purement du domaine privé et intime. Or l'anthropologie contemporaine a découvert que la sexualité est une réalité dont les dimensions sont aussi et peut-être même d'abord sociales [12]. La mise en œuvre généralisée de la régulation des naissances par une société est donc toujours à la fois *symptôme* et *cause* de phénomènes sociaux assez fondamentaux. Par exemple, dans nos sociétés occidentales, le recours à la contraception est souvent *signe* d'une certaine peur de l'avenir, d'une volonté pas toujours saine de maîtriser le futur, d'une attente considérable vis-à-vis de l'enfant dont on veut certes le bonheur mais dont on espère aussi beaucoup de gratifications... Inversement, la généralisation de la régulation des naissances a des *répercussions* sociales considérables : le rapport homme-femme se modifie peu à peu, la façon de considérer la famille idéale change radicalement, le couple et l'enfant sont fréquemment chargés de réparer les agressions venant de la société, la démographie accuse un fléchissement, le pouvoir de maîtrise de l'être humain sur lui-même paraît moins limité que dans le passé, l'accueil de la vie a tendance à se vivre autrement, les déséquilibres démographiques entre nations s'accentuent de façon importante... Autant de phénomènes dont le poids objectif ne doit pas échapper à l'analyse du moraliste sous peine de faire preuve d'une véritable cécité et de laisser se développer des conduites qui à terme apparaîtront fort destructurantes pour le tissu social. Il faut sortir résolument de son intimisme la réflexion éthique sur la régulation des naissances. Ce doit être là d'ailleurs, à mon avis, la tâche prioritaire de l'instance morale que représente le Magistère de l'Eglise catholique.

12. Cf. les travaux de l'anthropologue Lévi-Strauss.

4. *Aucune méthode de régulation n'est parfaite*

Le moraliste se doit d'être attentif à l'expérience clinique. De celle-ci, il apprend que chaque méthode contraceptive présente des avantages et des inconvénients, tantôt physiologiques, tantôt psychiques ou relationnels. De plus, il s'avère que certaines personnes se voient dans l'impossibilité effective de recourir à tel type de méthode en raison de troubles somatiques, ou de difficultés psychologiques ou encore de problèmes sociaux indépassables. Enfin, il n'est pas rare qu'un même couple ne puisse s'en tenir toute une vie à une même méthode en raison des évolutions psychiques et sociales imprévues qui surviennent. Sous peine d'être irréaliste, le discernement chrétien doit prendre acte de ces faits le plus souvent incontournables.

5. *Quelques repères éthiques*

Compte tenu de ce qui précède, il me semble possible de donner les points de repères éthiques suivants :

— L'Eglise est favorable à la régulation des naissances à la condition d'abord que les *motivations* des conjoints soient conformes à l'exigence de l'amour évangélique. Chaque couple doit donc d'abord s'interroger avec des questions de ce type : pourquoi souhaitons-nous limiter le nombre de nos enfants ? Quelle est l'image du bonheur conjugal et familial qui nous habite ? Est-elle conforme à l'Evangile ? Sommes-nous relativement libres par rapport aux images sociales dominantes de la famille réussie ?...

— Toute méthode, quelle qu'elle soit, exige pour être constructive pour le couple un *dialogue* régulier et profond entre les deux conjoints. Le désir ou le refus d'enfant, par les dimensions psychiques profondes qu'il mobilise, devient vite source de perturbations dans le couple si les deux partenaires ne font pas le point sur leur évolution intérieure. Un couple, même heureux, a toute une histoire. Les rapports des conjoints entre eux et avec les enfants évoluent toujours. Enfin, la façon qu'a chacun d'assumer son corps et sa sexualité bouge au cours d'une vie. C'est donc une erreur de croire qu'il suffit d'avoir parlé une fois pour toutes au moment du choix de la méthode pour qu'il n'y ait ensuite plus de problèmes. La pratique de la régulation nécessite un réexamen régulier confiant et plein de respect pour le conjoint.

— Une méthode *idéale* de régulation devrait satisfaire aux conditions suivantes :

a) La contraception devrait, si possible, être supportée de façon égale par les deux conjoints. Il s'avère en effet que lorsque la méthode n'est assumée que par la femme ou par l'homme des risques non négligeables d'irrespect d'au moins un des conjoints surgissent assez vite. La personne dont la fécondité est maîtrisée peut en profiter pour prendre pouvoir sur son partenaire ou à l'inverse (et le plus souvent) se trouver soumise au désir de l'autre qui invoque l'absence de risque de grossesse. La femme ou l'homme peut alors devenir davantage objet de besoin que sujet de désir. On voit combien la meilleure technique ne dispense jamais de l'effort éthique qui tente de respecter l'autre dans sa différence. On devine aussi combien les méthodes ne sont pas moralement neutres, dans la mesure où certaines exigent immédiatement un effort de chaque conjoint, tandis que d'autres sollicitent l'effort d'un seul.

b) La contraception ne devrait pas médicaliser à l'excès la relation sexuelle. Ceci pour des raisons à la fois sociales et intimes. Sociales : il faut limiter l'intervention de la médecine qui tend dans nos sociétés à envahir tous les domaines de notre existence. Intimes : il est souhaitable de ne pas enlever sa « poésie » à la relation sexuelle et il est toujours meilleur d'éviter une imprégnation médicamenteuse de tout le corps.

c) La contraception ne devrait pas être soumise à une possibilité de contrainte gouvernementale. Malgré ses aspects collectifs soulignés plus haut, je pense que la décision de la régulation des naissances doit revenir au seul couple. Par conséquent toute méthode (par exemple, la stérilisation) qui peut totalement être contrôlée par un gouvernement est pleine de risques éthiques graves.

d) La contraception devrait être efficace, réversible, et la plus satisfaisante possible, compte tenu de la situation singulière du couple qui cherche à limiter le nombre de ses enfants.

6. L'interpellation de l'Eglise et les chrétiens

L'Eglise, en son magistère, cherche à tenir compte de toutes les réalités que nous venons de souligner. Elle rappelle avec vigueur que les enjeux humains de la régulation des naissances sont très importants. Bien plus, elle s'efforce d'indiquer aux chrétiens quel type de méthode se rapproche le plus de la méthode «idéale» qui a été définie ci-dessus. Selon le magistère, les méthodes dites «naturelles» sont celles qui ont le plus de chances d'être humanisantes. De fait, ces méthodes présentent, malgré leurs inconvénients, bien des avantages. Tout d'abord elles sont peu médicalisées et échappent totalement au contrôle étroit des gouvernements. Surtout, elles impliquent *les deux* conjoints. Comme le fait remarquer Jean-Paul II, «le choix des rythmes naturels comporte l'acceptation du temps de la personne (...) et aussi l'acceptation du dialogue, du respect réciproque, de la responsabilité commune, de la maîtrise de soi. (Cela invite à) reconnaître le caractère à la fois spirituel et corporel de la communion conjugale, et également à vivre l'amour personnel dans son exigence de fidélité [13]». Les chrétiens sont donc invités par le pape à reconnaître que l'enseignement de Paul VI dans l'encyclique *Humanae Vitae* constitue une «norme pour l'exercice de la sexualité» [14].

Mais il importe alors de bien comprendre quel est le rôle de la norme dans la vie quotidienne. Une norme n'est pas une recette. Elle a pour fonction de désigner le chemin le plus

---

13. Jean-Paul II, *ibid.*, n° 32.
14. *Id.* n° 34.

habituel d'humanisation. Elle est pour chacun comme un repère qui l'oblige à sortir de ses impressions immédiates pour soupeser l'enjeu réel de ses conduites. Elle est le fruit d'une réflexion sur l'expérience humaine et chrétienne qui a pris en compte toutes les dimensions de l'agir, y compris ses dimensions socio-collectives et ses répercussions probables à long terme. La norme est ce qui fait voir l'action sous l'éclairage du but dernier à atteindre, à savoir la croissance en nous de l'image de Dieu. En définitive, chaque norme est une *provocation* à réfléchir pour voir si l'on est bien en train d'accueillir le Royaume de Dieu. Toutefois, il faut prendre acte de deux faits: en premier lieu toutes les normes ne sont pas toutes observables simultanément. Par exemple, il est fréquent que la norme «tu ne refuseras pas la fécondité» soit en conflit avec la norme «tu veilleras à l'épanouissement de ton couple». En deuxième lieu chaque norme n'est pas toujours applicable ici et maintenant par telle personne, en raison de difficultés personnelles ou sociales incontournables. Par exemple, certaines femmes ont un cycle si perturbé qu'il est impossible pour elles de recourir à des méthodes contraceptives «naturelles». Pour prendre acte de ces deux faits, Jean-Paul II introduit dans son exhortation apostolique la notion de «loi de gradualité» qui est une invitation à cheminer vers plus d'amour, en tenant bien compte des situations dans leur complexité.

Dans le concret, un couple chrétien qui choisit une méthode doit donc de se laisser interpeller par la pensée du Magistère et examiner si, pour lui, une méthode naturelle n'est réellement pas possible. S'il s'avère que le recours à un procédé «artificiel» de contraception est indispensable, alors le couple chrétien peut considérer que la recommandation magistérielle n'est pas pour lui une norme à observer immédiatement. «...Au terme d'une réflexion commune menée avec tout le soin que requiert la grandeur de leur vocation conjugale», les époux se détermineront donc pour un autre type de méthode, tout en gardant «leur cœur disponible à l'appel de Dieu, attentifs à toute possibilité nouvelle qui remettrait en cause leur choix ou leur comportement d'aujourd'hui»[15].

ACCUEILLIR LA PERSONNE HOMOSEXUELLE[16]

«...Les homosexuels doivent être accueillis avec compréhension...» Cette phrase du document romain *Persona humana* sur l'éthique sexuelle[17] nous invite à une attitude ouverte face à la question homosexuelle. Accueillir l'homosexuel, cela va de soi si l'on réfléchit sur les exigences évangéliques: l'homosexuel[18] (un adulte sur 25 au moins, en France), comme toute personne, est notre prochain, et a donc le droit à notre respect. Mais plus que d'autres personnes, il a droit à ce que l'Eglise l'écoute et le reçoive. Marginalisé malgré lui par notre société, objet de plaisanteries humilian-

---

15. Commentaire par les évêques français de l'encyclique *Humanae Vitae*, in Paul VI, *La régulation des naissances*, Ed. du Centurion, 1968, n° 16, p. 74.

16. *Médecine de l'homme*, août-septembre 1979.

17. Sacrée congrégation pour la doctrine de la foi — «Déclaration sur certaines questions d'éthique sexuelle» — *«Persona Humana»:* Doc. Cath. 1976, n° 1691 § 8.

Ce texte souligne la distinction à opérer entre l'homosexualité transitoire et celle qui est définitive. Il souhaite que les homosexuels soient accueillis avec compréhension et que leur culpabilité soit jugée avec prudence. Mais il affirme avec vigueur que «selon l'ordre moral *objectif*, les relations homosexuelles sont des actes dépourvus de leur règle essentielle et indispensable»; c'est dire qu'il manque des dimensions importantes aux actes homosexuels. Enfin le document rappelle que la condamnation de l'Ecriture «ne permet pas de conclure que tous ceux qui souffrent de cette anomalie en sont personnellement responsables».

18. Je parlerai ici des seuls homosexuels *hommes* parce que ce sont eux que je connais davantage. Mais l'ensemble de mes réflexions me semblent pouvoir être appliqué aux homosexuelles. J'exclus cependant de mon propos les *pédérastes* proprement dits, c'est-à-dire les hommes qui sont attirés par les enfants prépubères ou tout juste pubères. Ils posent en effet des questions spécifiques que le cadre de ce chapitre ne permet pas d'aborder. D'après une enquête assez récente, ils *seraient* en France environ 13.000. Cf. la revue *Arcadie*, 1976, n° 276, p. 652.

tes, de tracasseries, de jugements hostiles, de chantage parfois, il est souvent contraint à faire partie de ces «exclus» qui n'ont pas le droit de vivre à visage découvert. Aussi la Bonne Nouvelle du Christ, cette nouvelle qui transcende nos «étiquetages» moraux, s'adresse-t-elle à l'homosexuel avec une certaine priorité.

Mais quand bien même l'on est convaincu de cela, le désarroi reste grand: quelle attitude adopter face à la personne qui se déclare homosexuelle et plus encore, comment opérer le discernement moral? Les discussions passionnées qui ont entouré la parution du document de la curie romaine ont bien montré l'embarras des moralistes. C'est pourquoi je voudrais proposer ici quelques points de repère pour guider le chrétien dans sa relation d'aide ou d'écoute de la personne homosexuelle. J'essaierai d'éviter à la fois le paternalisme de la pitié et la naïveté de l'approbation inconditionnée, en soulignant des erreurs à éviter et des attitudes souhaitables.

1. Quelques erreurs à éviter

1re erreur: se laisser fasciner par le problème posé

Cette fascination n'est pas toujours facile à éviter. Elle transparaît à travers le langage. «C'est un homosexuel» dit-on de tel homme, montrant ainsi que le reste de la personnalité du sujet est comme occulté par son orientation sexuelle inhabituelle. Pour lutter contre cette réaction, la Parole de Dieu apporte une aide précieuse. En effet, l'Evangile considère toujours la personne dans sa globalité, et nous demande de ne pas juger sur les apparences. A la suite de Jésus, il faudra accueillir l'*ensemble* de la vie du sujet homosexuel dans toutes ses dimensions: spirituelles, sociales, culturelles, etc.

Ceci est important, car le conditionnement social imposé à l'homosexuel pousse celui-ci à donner plus de place qu'il ne faudrait à ses problèmes sexuels, et finalement à faire ainsi le jeu de la société. Au nom même de notre foi, il est donc souhaitable d'éviter cet étiquetage spontané. Apprenons à bien nous situer face à des personnes perçues dans leur globalité qui partagent en bien des points notre expérience de la vie, même si leur orientation sexuelle spécifique vient donner une coloration particulière à l'ensemble de leur existence.

2e erreur : simplifier le réel

Nous avons toujours une vision trop simpliste du phénomène homosexuel. Celui-ci est d'une très grande complexité. Chaque homosexuel est à écouter dans la singularité de son désir, même si certains traits se retrouvent chez tous. Il faudrait notamment faire une distinction entre l'homosexuel célibataire (environ 84 %) [19] et l'homosexuel marié (environ 16 %) ; entre l'homosexuel qui vit en couple (40 %) et l'homosexuel qui vit une très grande promiscuité sexuelle ; entre celui qui est très culpabilisé (7 à 8 %) et celui qui accepte bien son homosexualité, etc. Pour chacune de ces catégories, les points de repère éthiques concrets ne sont pas strictement identiques.

Simplifier le réel, c'est aussi juger de la question à travers les seules personnes qui nous ont révélé leurs tendances. Or celui qui écoute doit savoir que ceux qui éprouvent le besoin de lui parler sont en général des sujets qui s'assument mal, chez qui l'homosexualité est souvent intriquée avec des phénomènes névrotiques. Ces personnes ne sont donc pas très représentatives de l'ensemble du milieu. D'assez nombreux homosexuels déclarent, de façon crédible, être heureux et avoir trouvé un bon équilibre dans leur état.

Simplifier le réel c'est enfin transposer toutes nos catégories morales hétérosexuelles sur l'expérience des homosexuels. Or ceux-ci ne cessent de répéter que les normes destinées aux

---

19. Ces chiffres sont tirés d'une enquête faite auprès de 1034 membres du « mouvement homosexuel de France ». Arcadie : M. Bon et A. D'Arc, *Rapport sur l'homosexualité de l'homme,* Ed. universitaires, 1974, 525 pages.

hétérosexuels ne leur sont pas toutes applicables telles quelles. Par exemple, 44 % d'homosexuels chrétiens déclarent « qu'il n'est pas en leur pouvoir de ne pas avoir régulièrement d'actes homosexuels » [20]. Prêcher la continence leur apparaît irréaliste. C'est, à leur avis, ne pas prendre en compte l'aspect souvent compulsif de leur génitalité. De même, le modèle du couple hétérosexuel ne peut pas être projeté sur le couple homosexuel. Celui-ci s'avère être, dans 75 % des cas, d'une grande instabilité, pour des raisons sans doute à la fois sociales et psychologiques. La « fidélité » au sens habituel du terme, semble alors souvent être hors de portée de l'homosexuel. Ces deux exemples montrent le désarroi qui saisit le moraliste lorsqu'il s'efforce d'élaborer des normes à la fois fidèles à l'Evangile et viables pour les personnes concernées. Il lui faut commencer par se laisser interroger par la nouveauté du phénomène auquel il est confronté, et se débarrasser peu à peu de ses a priori et de ses préjugés.

3e erreur: Avoir peur de se référer à des normes objectives

La mode vient parfois paralyser le jugement moral. Dans le domaine sexuel et affectif, il n'y aurait pas, dit-on, de normes stables. Tout essai de comparer éthiquement la condition homosexuelle à la condition hétérosexuelle ne serait que défense, que rationalisation pour se protéger de ses propres pulsions homosexuelles: ou encore, ce ne serait que discours « petit-bourgeois » qui chercherait à maintenir la structure sociale en place avec son phallocratisme oppresseur [21]. Il est vrai que l'appel des normes présente toujours le risque d'être idéologique et de servir inconsciemment celui qui l'utilise. Mais il ne faut pas pour autant tomber dans le relativisme. Dans tous les secteurs de la vie nous recourons à des normes,

---

20. Enquête inédite que j'ai effectuée auprès de 350 homosexuels *chrétiens* en 1976 en vue d'une thèse de doctorat en théologie soutenue en 1980 à l'Institut catholique de Paris.

21. On peut lire à ce propos: B. HOCQUENGHEM, *Le désir homosexuel*, Ed. Univ., 1972, 124 p.

afin de juger de la conduite à suivre. Ainsi en va-t-il dans les domaines de la santé, de la relation humaine, de la vie politique, etc.. Pourquoi en irait-il autrement dans le domaine de la sexualité ?

Faisons une *analogie :* personne ne trouve à redire lorsqu'on affirme que la cécité est une forme de carence objective par rapport à la possibilité de voir. Ceci parce que chacun perçoit que la vue est une grande richesse, que les yeux sont faits pour permettre de voir, et surtout que l'aveugle n'est pas un sous-homme parce qu'il est affecté de cette carence. Bien au contraire, cette carence va parfois être chez lui occasion d'enrichissement de ses autres sens, occasion d'approfondir sa vie intérieure, bref occasion, malgré la souffrance objective que sa cécité représente, de se grandir.

Cette analogie voudrait faire saisir les nuances de mon opinion sur la réalité homosexuelle : je pense que l'orientation homosexuelle est par rapport à l'orientation hétérosexuelle une forme de *limite objective,* mais que cette limite, loin de faire de l'homosexuel un sous-homme, peut être assumée et régulée par lui de façon telle qu'elle peut être l'occasion de faire grandir sa personnalité d'homme et de croyant. Ainsi verra-t-on des homosexuels dont la vie globale pourra devenir signe pour des hétérosexuels qui mésusent de toutes les richesses de leur orientation sexuelle.

Mais une limite, pourquoi ? Donnons en quelques signes : l'impossibilité de la paternité d'abord, souvent ressentie douloureusement (35 % des homosexuels interrogés par M. Bon souhaiteraient adopter un enfant) ; puis, chez beaucoup de sujets, une grosse instabilité affective avec des idéalisations excessives du partenaire. Cette instabilité est malheureusement favorisée par la pression sociale qui oblige à la clandestinité détruisant ainsi bien des tentatives de fidélité. Chez d'autres encore, il existe une compulsivité dans les manifestations génitales, dans la « drague », qui donnent à ceux qui la vivent l'impression d'un manque de liberté face aux pulsions[22]. Tout cela, aggravé par l'énorme incompréhension sociale, fait que la voie homosexuelle est loin d'être facile. Ecoutons à ce propos le témoignage d'un homosexuel, l'un de ceux qui connaissent le mieux le milieu homosexuel français : «...(L'homosexualité) est la voie la plus étroite, la voie la plus dure, la plus difficile, la plus monstrueuse à monter, et vous voudriez que de gaieté de cœur des adolescents comme ceux qui m'écrivent maintenant et qui appellent au secours de tous les coins de France, parce qu'ils sont seuls et que justement ils ont peur de ne pas connaître le bonheur, vous voudriez que ces garçons-là choisissent cette voie s'ils ne sont pas homosexuels ?» Ainsi s'exprimait devant 19 millions de téléspectateurs, M. Baudry, responsable du mouvement homosexuel Arcadie, qui a reçu des milliers de confidences d'homosexuels[23].

En affirmant que l'orientation homosexuelle est une limite, j'ai peur d'être mal compris et de laisser croire que l'hétérosexuel, lui, est en pleine possession de toutes les possibilités données par la sexualité. L'hétérosexuel serait alors comme le riche face au pauvre. C'est beaucoup moins simple. En réalité, il n'existe pas de sexualité parfaite. Chacun de nous est affecté dans sa vie sexuée de carences plus ou moins importantes. Les uns, par exemple, seront incapables d'établir une communication profonde avec leur conjoint : d'autres seront stériles ou impuissants ou éjaculateurs précoces ; d'autres seront instables... Accepter de qualifier l'homosexualité de limite psychosexuelle, c'est d'abord accepter de regarder ses propres carences. C'est aussi accepter de se laisser interpeller par l'exemple de tel homosexuel qui a su faire du chemin pour intégrer ses propres manques dans la construction de sa personnalité. Notre accueil doit aller jusque-là : recevoir des personnes homosexuelles.

---

22. Un homosexuel sur trois, dans mon enquête, déclare : «J'estime que mes actes homosexuels ne sont pas vraiment libres : c'est plus fort que moi».

23. A. Jammot, *Les homosexuels aux dossiers de l'écran,* R. Laffont, 1975, p. 68.

4e erreur : déformer la Parole de Dieu

Dans le débat chrétien sur l'homosexualité, la Bible finit toujours par être invoquée. Beaucoup y cherchent une réponse en collectionnant les versets qui condamnent sévèrement les actes homosexuels. Ces versets ne manquent pas [24]. On se trouve ainsi quitte d'examiner plus à fond la question. Je crois qu'il y a là une double erreur : d'abord isoler des versets de la globalité du contexte biblique, puis transposer, sans interprétation, la vision que les auteurs bibliques avaient de la réalité homosexuelle à leur époque sur le phénomène homosexuel d'aujourd'hui. En réalité, les auteurs bibliques ne disposaient évidemment pas de l'outil d'analyse que procurent les sciences humaines pour cerner la question. Ils ne pouvaient sans doute pas discerner ce que maintenant nous savons : à savoir qu'il y a chez maints sujets une véritable *structure* homosexuée, non choisie volontairement, peut-être innée ou au moins (et plutôt) acquise dans la petite enfance.

Mais surtout, le point de vue des auteurs bibliques ne se veut ni scientifique ni pastoral. Ces auteurs s'efforcent bien plutôt de saisir toute réalité humaine dans son lien avec le projet de Dieu sur le monde. Ils sont convaincus qu'un mauvais rapport au Créateur conduit nécessairement à un mauvais rapport aux réalités créées. Cette conviction est appliquée également à la réalité créée qu'est la sexualité. C'est pourquoi dans les textes bibliques, les allusions à l'homosexualité sont toujours liées aux allusions à l'idolâtrie qui est une perversion du rapport à Dieu. Or aujourd'hui l'immense majorité des homosexuels chrétiens ne vit certainement pas les actes homosexuels comme des actes idolâtriques. Beaucoup estiment même que leur *condition* d'homosexuel, qui les a acculés à purifier leur façon de concevoir Dieu, a contribué à les rapprocher du vrai Dieu [25].

---

24. Gn 19 ; Jg 19 ; Lv 18,22 et 20,13 ; Rm 1,26 ; 1 Co 6,9-10 ; 1 Tm 1,9-10 ; Ap 21,8 ; 22,15.

25. 39 % des homosexuels chrétiens de mon enquête estiment « qu'actuellement et globalement, leur *condition* d'homosexuel a contribué à les rapprocher de Dieu ».

La Bible ne se prononce donc pas sur la responsabilité morale personnelle des homosexuels. Elle vient seulement nous rappeler qu'il n'est pas éthiquement légitime de mettre sur un pied d'égalité l'orientation homosexuelle et l'orientation hétérosexuelle. Celle-ci est présentée en maints endroits comme étant ce que Dieu visait en «créant l'homme, homme et femme». Alors que celle-là — l'homosexualité — est ressentie comme une réalité qui ne s'inscrit pas dans le dessein créationnel du Seigneur, comme une réalité qui tend à mettre la confusion là où Dieu a instauré des séparations. On peut sans doute affirmer, sans crainte de se tromper, que pour la Bible, les actes homosexuels sont toujours des actes marqués d'une limite objective importante. Tout le problème sera donc pour l'homosexuel chrétien de réguler son type spécifique de sexualité sous l'action de l'Esprit du Christ. La communauté chrétienne doit pouvoir l'aider dans cette difficile recherche. Cela me conduit à décrire maintenant quelques attitudes souhaitables dans l'accompagnement d'une personne homosexuelle.

II. Quelques attitudes possibles

1re attitude: inviter seulement à ce qui apparaît effectivement possible

C'est ici que l'hétérosexuel aura beaucoup à se méfier de ses projections. Son expérience de la sexualité n'est pas celle du sujet qu'il écoute. Ses désirs et ses peurs ne sont pas les mêmes non plus. Il faut donc éviter toute requête qui rejetterait la personne dans des angoisses et des culpabilités mortifères dont souvent elle est à peine sortie ou qu'elle a eu beaucoup de mal à dépasser.

Par exemple, présenter à *tout* homosexuel, comme un devoir le fait de se faire «soigner» somatiquement ou psychologiquement pour son homosexualité, est une grave erreur à différents titres. Au plan scientifique d'abord, les soi-disant «traitements» étant le plus souvent inefficaces pour orienter autrement l'instinct sexuel, sauf dans certains cas, difficiles à discerner, de pseudo-homosexualité [26]. Au plan psychologique ensuite, 80 % des sujets homosexuels ne souhaitent pas changer de type de sexualité, tant ils se sentent constitués ainsi, tant ils auraient l'impression de changer de personnalité. Enfin, n'oublions pas que la sainteté ne coïncide pas avec la perfection humaine, c'est-à-dire avec le fait d'être sans failles. Dieu est capable de réaliser sa bonne nouvelle à travers la structure homosexuelle de quelqu'un.

Celui qui accompagne l'homosexuel devra donc se munir de beaucoup de patience, accepter une certaine « flexion des normes » [27]. Par exemple, il faut savoir que la continence est plus difficile à acquérir par l'homosexuel que par l'hétérosexuel. Aussi les tendances *compulsives* de beaucoup de sexualités d'homosexuels obligeront-elles souvent à tolérer la « drague » [28] malgré son aspect très insatisfaisant au plan éthique. D'ailleurs, la drague est un comportement vis-à-vis duquel l'homosexuel lui-même est ambivalent. Le plus souvent décevante, elle est aussi un temps où un certain apaisement nerveux est trouvé, et où certaines rencontres parfois sérieuses se font, rencontres qui s'avèrent à la longue assez constructives.

Plutôt donc que d'inviter l'homosexuel à être immédiatement continent et à cesser du jour au lendemain toute drague

---

26. Sur la « thérapie » des pseudo-homosexuels, cf. M. Bon, *Développement personnel et homosexualité,* Epi 1975, ch. 6.

27. Cf. à ce propos le commentaire de *« Persona humana »* par le Père O. Capone in *Doc. Cath.,* 7 mars 1976. N° 1693, p. 216.

28. Par « drague » (suivant l'expression du milieu) il faut entendre la quête (non vénale) d'un partenaire en vue d'une relation sexuelle et, si cela se présente, en vue d'une relation plus suivie. La « drague » se pratique autour des urinoirs, et dans différents lieux : jardins publics, bois jouxtant les grandes villes, bains de vapeur, « boîtes spécialisées », etc. La drague est un phénomène autre que la fréquentation, relativement peu importante, des prostitués. Cette fréquentation pose des problèmes spécifiques.

Dans mon enquête, un homosexuel chrétien sur deux déclare changer de partenaire plusieurs fois dans l'année. Un sur 7 change de partenaire chaque semaine.

(ce qui lui apparaît la plupart du temps absolument irréalisable), il faudra l'aider à réfléchir devant Dieu à ses conduites pour les modifier peu à peu. Cherche-t-il à y exercer un certain type de maîtrise de ses pulsions, ou se meut-il au gré de l'immédiateté de ses désirs sexuels les plus divers? Quel respect apporte-t-il à ses partenaires? Ceux-ci sont-ils purs objets à son service ou sont-ils considérés aussi comme des sujets?

On le voit, il importe de tenir compte de la personnalité globale du sujet. Se fixer uniquement sur les manifestations sexuelles de la personne est une erreur, alors que souvent la tâche prioritaire est d'aider à faire retrouver la joie de vivre, la dignité, la solidarité avec les autres, quitte pour cela à tolérer bien des failles sexuelles. A l'inverse, déculpabiliser a priori, sans discernement, tous les actes sexuels, c'est ne pas prendre au sérieux la liberté du sujet, c'est oublier que l'homosexuel comme tout homme est pécheur et a aussi besoin du pardon de Dieu.

2e attitude: démasquer les fausses culpabilités

Chez les homosexuels qui consultent, il y a fréquemment des culpabilités fortes après les actes sexuels ou au moins une grosse perplexité quant à la gravité de leurs conduites, devant Dieu et devant leur conscience. Tout un travail de discernement est à mener avec eux à ce propos. Parfois, leur culpabilité psychologique apparaît comme étant d'ordre névrotique, auquel cas il faudra peut-être savoir conseiller une psychothérapie. Le plus souvent, il y a une confusion entre le remords (catégorie psychologique) et le péché (catégorie théologique). L'homosexuel devra alors apprendre qu'il n'a pas nécessairement manqué à l'amour pour Dieu quand bien même le cri de son surmoi est très fort.

L'homosexuel aura à en faire l'expérience: une véritable purification de la relation à Dieu peut se produire lentement à l'occasion de difficultés sexuelles. Celles-ci, bien situées, amènent à se découvrir créature limitée, pas toujours maîtresse d'elle-même, face à un Dieu qui n'a rien d'un père castrateur. Si étonnant que cela puisse paraître à certains, beaucoup d'homosexuels chrétiens convaincus ont, en raison de leur sexualité spécifique si difficile à assumer, peu à peu découvert vitalement ce que signifie la parole de Jean: «Dieu est Amour».

3e attitude: aider à éviter les réactions de ghetto

Il ne faut pas être naïf! «Là où il y a de l'homme, il y a de l'hommerie» disait François de Sales. Cela est vrai dans le milieu homosexuel comme dans tout autre milieu. Poussé par les réactions sociales, l'homosexuel aura tendance à se regrouper avec les personnes qui partagent sa condition. La réaction de ghetto avec toute l'idéologie qu'elle implique sera alors une tentation permanente. Aider l'homosexuel, c'est aussi l'aider à prendre du champ par rapport à cette réaction.

Je ne veux pas dire que l'homosexuel doive fuir ses semblables. Au contraire, pour beaucoup (pas pour tous) il est fort utile de vivre des réunions avec d'autres homosexuels, réunions pendant lesquelles chacun peut être totalement soi-même. Mais c'est à la condition de rester lucide. J'entends trop souvent certains homosexuels tenir des propos qui excusent à l'avance toute conduite sexuelle, même débauchée, qui font l'apologie d'une pseudo-libération sexuelle, qui critiquent systématiquement les opinions de l'Eglise, qui exagèrent la «persécution» subie de la part des hétérosexuels...

Toutes ces réactions se comprennent, mais elles doivent être situées face aux exigences évangéliques qui invitent à la vérité et au dépassement perpétuel des fausses frontières. C'est pourquoi il sera bon d'inviter l'homosexuel à ne pas se regrouper uniquement avec d'autres homosexuels [29], surtout

29. Il existe en France un mouvement de chrétiens homosexuels. Ce mouvement «David et Jonathan» est interconfessionnel. Il n'a pas demandé de reconnaissance officielle par les Eglises de France. Les réunions permettent à leurs participants de découvrir que l'on peut rencontrer

au plan chrétien. Il reste souhaitable qu'il puisse rejoindre dans les mouvements syndicaux, politiques, ecclésiaux, tous ceux qui luttent pour que les valeurs évangéliques soient vécues par la société. Mais il faudrait pour cela que l'hétérosexuel sache ne pas être outré, ne pas ricaner, ne pas juger, s'il vient à découvrir que son prochain est homosexuel.

Il faut conseiller à l'homosexuel de ne pas attendre d'être accueilli en tant que tel pour prendre ses responsabilités dans la société ou dans l'Eglise. En effet, l'expérience le montre : si le sujet a su faire reconnaître le sérieux de sa foi ou de son action, avant que son homosexualité ne soit dévoilée, celle-ci a beaucoup plus de chance d'être tolérée par l'entourage lorsqu'elle sera découverte.

4e attitude : aider à assumer la solitude

L'homosexuel non marié, comme le célibataire hétérosexuel, fait l'expérience de la solitude. Mais il la ressent de façon souvent plus douloureuse que ce dernier en raison de son comportement atypique et de la grande requête affective qui l'habite. Des témoignages mériteraient d'être entendus à ce propos. L'homosexuel cherche donc à créer des amitiés, et même des liens amoureux, pour fuir cette solitude destructurante et donner sens à cette quête sentimentale qui est sienne. Un certain nombre s'essaie à une vie de couple, tout en sachant fort bien que cela n'aura probablement qu'un temps [30].

Quelle attitude adopter face à cette situation ? D'abord prendre au sérieux la réalité. Celle-ci oblige à reconnaître que

---

le Christ à travers une structure homosexuelle et que, homosexuel, l'on reste membre à part entière de l'Eglise. En cela, malgré les réserves évoquées, ces réunions peuvent, *dans certains cas,* avoir un rôle assez positif. Une revue *« David et Jonathan »* fait le lien entre les divers groupes.

30. 40 % des homosexuels vivent en couple. La durée moyenne de la liaison est de 6 ans. Seul le quart de ces liaisons dure plus de 10 ans, la stabilité étant fréquemment conjointe à des « infidélités » d'ordre génital. Cf. M. Bon et d'Arc, *op. cit.,* p. 346 ss.

l'homosexualité vécue n'est pas seulement une affaire de défoulement génital, comme on l'entend trop souvent dire. Assez souvent, elle est porteuse de relations qui présentent bien des valeurs. Comment ne pas en tenir compte? Comment ne pas reconnaître que des personnes se sont grandies à travers l'expérience de ces couples, même si ces relations sont chargées de bien des limites? Comment renvoyer à la solitude destructrice ceux qui tentent, tant bien que mal, de s'équilibrer ainsi?

Si certains sujets peuvent, il est vrai, sublimer leurs pulsions et vivre une amitié dans la continence, il sont je pense, fort peu nombreux. Pour faire un tel choix, il faut une force d'âme et un équilibre psychologique de fond peu ordinaires, surtout chez les homosexuels qui viennent demander de l'aide. Là encore, plutôt que d'inviter avec force et irréalisme à l'impossible, il faudra solliciter le couple à regarder de plus près l'Evangile avec ses appels: cette amitié est-elle ouverte sur les autres? Accepte-t-elle d'évoluer ou se fige-t-elle dans des comportements stéréotypés? Accepte-t-elle l'interpellation de l'Eglise qui nous rappelle que l'homosexualité ne peut jamais être prise comme un idéal? Se bâtit-elle dans le souci de promouvoir la liberté du partenaire?

On le voit, accueillir l'homosexuel en chrétien, n'est pas facile. Il faut commencer par accepter d'être désarçonné. Seule une longue écoute de la vie des personnes permet de découvrir peu à peu l'attitude qui convient. Cette attitude ne peut se décrire par des recettes. L'homosexuel ne demande d'ailleurs pas de recettes. Il demande qu'un frère se trouve sur sa route, témoigne auprès de lui de l'accueil de Dieu et aussi des exigences de son amour. Pour cela, il faut savoir parfois parler ferme, et vrai. Mais bien plus, l'homosexuel nous demande de reconnaître que lui aussi est ce frère qui peut, auprès de nous, témoigner de ce Dieu qui nous fit homme et femme et qui sait de quoi nous sommes pétris.

TRANSSEXUALISME ET MORALE CHRÉTIENNE [31]

Parler du transsexualisme exige une grande compétence que je n'ai pas, mon expérience pastorale ne m'ayant conduit à recevoir en entretien que quelques transsexuels. Je parlerai donc ici en théoricien, m'inspirant tout de même d'une réunion de travail récente sur le transsexualisme avec le Pr Abraham, de Genève.

Tout d'abord, il convient de bien définir le transsexualisme et de le distinguer de l'homosexualité. Un homosexuel est un homme qui se ressent de l'intérieur comme un homme et dont le désir sexuel se porte sur les hommes adultes. Un transsexuel [32] est un homme qui se ressent comme étant du sexe opposé et qui souhaite très profondément faire coïncider son corps et son image corporelle avec son «être femme» intérieur. Homosexualité et transsexualisme sont de véritables structures psychosexuelles que le sujet ne choisit pas et qu'il découvre plus ou moins tôt. La genèse de ces structures reste encore objet de discussion de la part des scientifiques. Cependant, beaucoup d'entre eux penchent en faveur d'une théorie qui privilégie les facteurs éducatifs. On deviendrait transsexuel en raison de désirs inconsciemment mal vécus avec la mère, pendant la petite enfance [33]. Quoi qu'il en soit, il semble que cette structure est acquise très tôt (voire innée) et surtout qu'elle est, dans l'état actuel de nos connaissances, quasiment irréversible. Les traitements hormonaux, psychothérapeutiques, même longs n'y font rien.

---

31. *Femmes et Mondes,* nº 46, 1979.

32. Je ne parle ici que des transsexuels qui étant physiologiquement hommes désirent devenir femmes. Mais l'ensemble de mes propos peut être transposé facilement pour les femmes qui tentent de devenir hommes.

33. Cf. G. Dreyfus, *Les intersexualités,* PUF 1972, coll. Que sais-je? 1494. *Nouvelle revue de psychanalyse,* nº 7, Gallimard, 1973. R. Stoller, *Recherches sur l'identité sexuelle,* Gallimard, 1979. F. Castagnet, *Sexe de l'âme, sexe du corps,* Ed. du Centurion, 1981.

Le transsexualisme représente pour un sujet une *épreuve* extrêmement lourde. C'est toute la vie qui en est gravement perturbée et il ne faut pas craindre de qualifier le transsexualisme de variation pathologique du désir sexuel. D'ailleurs, beaucoup de transsexuels pensent au suicide. Le rapport à leur corps est difficile à clarifier et il faut une grande compétence psychologique pour discerner ce qui, dans leurs propos, traduit bien la réalité et ce qui est davantage de l'ordre de l'affabulation. Beaucoup de médecins ont remarqué que ce que recherchent maints transsexuels, c'est non seulement le changement de sexe, mais aussi, et peut-être surtout, l'opération. Cela traduirait-il un profond masochisme ? En tout cas, la vie de beaucoup de sujets s'organise souvent autour de cette opération qui fournira en même temps un gros capital de souvenirs auquel on pourra se référer.

Essai d'appréciation éthique

Que penser du transsexualisme, au point de vue éthique ?

1. Il faut considérer le transsexualisme non pas comme un vice moral, mais comme un très lourd handicap qui perturbe très gravement l'existence des sujets. Mais il importe de bien accueillir les transsexuels comme des personnes responsables d'elles-mêmes, qui peuvent devant Dieu vivre plus ou moins positivement cette épreuve. Toute forme d'aide qui conduira les sujets à assumer au moins mal cet handicap est donc particulièrement souhaitable : accompagnement psychologique, aide pour trouver du travail et éviter la prostitution, assistance pour permettre de se faire des amis qui les acceptent tels qu'ils sont, etc.

2. Cette aide doit-elle aller jusqu'à accéder au désir des sujets de subir une opération ?

Avant de répondre, faisons deux constats :

— La législation française interdit de pratiquer ces opérations. Un certain nombre de transsexuels vont se faire opérer à l'étranger pour des prix très forts parfois, dans des conditions psychologiques pas toujours satisfaisantes.

— Un certain nombre de médecins sérieux affirment que l'opération a des effets plutôt positifs sur la psychologie du sujet. Celui-ci devient un peu «moins mal dans sa peau». Mais le «changement de sexe» reste évidemment un pseudo-changement de sexe et une insatisfaction profonde subsiste. Donc, objectivement, l'opération n'est pas le remède miracle que certains aimeraient y voir.

L'Eglise, par son *magistère,* s'est-elle prononcée explicitement sur cette opération? A ma connaissance, non. Toutefois, une certaine tradition de l'Eglise est nettement en défaveur de ces opérations. En effet, le Magistère a toujours considéré que l'homme n'est pas propriétaire de son corps et de son être, mais seulement «usufruitier» c'est-à-dire qu'aux yeux du Magistère, il n'est pas légitime éthiquement de modifier radicalement la nature sexuée de quelqu'un. Citons à ce propos un extrait de l'allocution de Pie XII à des médecins, le 13 septembre 1952:

«Le patient n'est pas maître absolu de lui-même, de son corps, de son esprit. Il ne peut donc disposer librement de lui-même, comme il lui plaît. Le motif même pour lequel il agit n'est, à lui seul, ni suffisant, ni déterminant. Le patient est lié à la téléologie immanente fixée par la nature. Il possède le droit d'usage, limité par la finalité naturelle, des facultés et des forces de sa nature humaine. Parce qu'il est usufruitier et non propriétaire, il n'a pas un pouvoir illimité de poser des actes de destruction ou de mutilation de caractère anatomique ou fonctionnel» [34].

Toutefois, Pie XII continue sa réflexion en invoquant le principe de totalité «selon lequel chaque organe particulier est subordonné à l'ensemble du corps et doit se soumettre à lui en cas de conflit» [35].

En vertu de ce principe, dit le pape, «l'homme peut dispo-

---

34. *Actes du siège apostolique* XLIV, 1952, 779-789.
35. *Actes du siège apostolique* XIV, 1953, 673-679.

ser des parties individuelles pour les détruire ou les mutiler, lorsque et dans la mesure où c'est nécessaire pour le bien de l'être dans son ensemble, pour assurer son existence, ou pour éviter, et, naturellement, pour réparer des dommages graves et durables, qui ne pourraient être autrement ni écartés, ni réparés.

Le patient n'a donc pas le droit d'engager son intégrité physique et psychique en des expériences ou des recherches médicales, quand ces interventions entraînent avec ou après elles des destructions, des mutilations, blessures ou périls sérieux »[36].

Ces extraits des discours de Pie XII ne concernaient évidemment pas l'ablation des organes génitaux, ni la pratique des piqûres d'hormone pour devenir femme. Mais certains théologiens penseraient qu'on pourrait les extrapoler pour réfléchir à l'opération des transsexuels.

J'avoue ne pas voir clair sur cette question, et mes propos se veulent provisoires, d'autant plus que je ne peux ici rentrer dans les longues analyses éthiques qui seraient nécessaires. Cependant, il faut ne jamais avoir reçu des personnes perturbées, comme le sont les transsexuels, souvent au bord de la désespérance et du suicide, pour répondre de façon catégorique à la question de la légitimité éthique de l'opération.

Redisons que celle-ci est un mal *objectif* extrêmement grave, comme toute autre opération qui mutile de façon définitive des réalités fondamentales de la personnalité (cf. les opérations de psychochirurgie). De plus, accepter trop vite l'opération, c'est quelquefois risquer de ne pas saisir la vraie demande du sujet qui peut être autre et qui renaîtra alors sans avoir trouvé de solution. Le danger existe peut-être aussi que cette opération, qui peut donner bonne conscience au médecin parce qu'il n'est pas resté inactif devant l'angoisse de son client, freine la recherche scientifique sur d'autres formes de thérapies moins agressives. Enfin, rappelons que l'opération ne résout pas tout.

---

36. Cf. note 34, *ibid.*

Ceci dit, devant telle situation dramatique, devant telle personne qui s'enfonce de plus en plus dans une conduite suicidaire ou mortifère, parce que son corps ne correspond pas à son expérience intérieure, il se peut que l'équipe soignante (médecins, psychologues...) estime que le *moindre mal* soit d'accepter de pratiquer l'opération. Rappelons alors que l'Eglise renvoie chacun à ses responsabilités dans la façon de résoudre les conflits de valeurs qui se présentent. Agir moralement, c'est toujours accepter les *compromis* les plus humanisants, surtout quand on travaille dans le domaine de la pathologie. Les questions que doit se poser l'équipe soignante pour agir de façon responsable, me semblent pouvoir être les suivantes :

— Le patient a-t-il été longuement et vraiment entendu dans la profondeur de son désir ?

— A-t-il été mis très au courant des conséquences probables de l'opération ?

— Estime-t-on que, raisonnablement, il n'existe plus d'autres moyens que l'opération pour éviter une véritable catastrophe dans la personnalité globale du sujet ?

Cette solution de l'opération, solution extrême, devrait en tout cas rester, semble-t-il, une solution très rare, dont la légitimité éthique devrait être sans cesse réexaminée.

IIIe PARTIE

Perspectives et prolongements

PULSIONS, SOCIÉTÉ, CULPABILITÉ[1]

Quelques données freudiennes

Pulsions et société ! Un débat organisé sur ce thème débouche presque inévitablement sur des désaccords, voire sur des violences verbales. Réfléchir sur le destin social de nos pulsions est, en effet, très impliquant. C'est tout d'abord être renvoyé à nous remémorer nos expériences infantiles fort peu agréables de soumission aux désirs de nos parents. C'est être aussi convoqué à réexaminer notre façon actuelle de supporter les contraintes que la société impose à notre vie pulsionnelle. Il est donc fréquent d'observer, chez ceux qui débattent d'un tel thème une réaction de défense qui peut prendre deux formes radicalement opposées : ou bien le sujet a peur du « grouillement » de ses désirs enfouis, auquel cas il exige que les interdits sociaux soient plus rigoureux ; ou bien, au contraire, il se sent brimé face à un manque d'expression de ses pulsions, auquel cas il souhaite une société plus libérale qui pourrait aller jusqu'à interdire d'interdire. De nos jours, il est clair que c'est plutôt cette deuxième réaction qui

---

1. Ces pages reprennent un article publié dans un numéro spécial de *Recherches, conscience chrétienne et handicap*, n° 27-28, 1981, qui traitait de la place des pulsions, et des problèmes qu'elles soulèvent, dans la vie des handicapés. On examine ici quelques données freudiennes sur la socialisation des pulsions.

domine. Beaucoup estiment, en effet, que la répression des pulsions opérée jusqu'ici par la société a été source de malaises psychologiques et même de névroses caractérisées. Il est donc temps, selon eux, de mettre fin aux sentiments de culpabilité issus plus ou moins de la morale judéo-chrétienne (relayée par la morale laïque), de lever les interdits, et de redonner enfin toute sa place à la bonne spontanéité pulsionnelle.

Reich et la bonne spontanéité du sexe

Une telle façon de considérer la régulation pulsionnelle s'appuie sur la pensée de psychanalystes très connus. A commencer par Freud que l'on ne manque pas de citer: «L'influence nocive de la civilisation se réduit essentiellement à la répression nocive de la vie sexuelle par la morale sexuelle civilisée» [2].

Mais la requête de maints de nos contemporains en faveur de l'expression libre des pulsions se fonde surtout sur la vulgarisation des dernières recherches de W. Reich [3]. Ce dissident de la psychanalyse freudienne récuse, en effet, à la fin de sa vie, le dualisme des pulsions de vie et de mort tel que Freud le conçoit. Selon la dernière position de Reich, seules existent les pulsions sexuelles décrites comme des sources uniquement énergétiques qui doivent trouver une issue sous peine de provoquer, de façon néfaste, un blocage de l'énergie appelé «*stase sexuelle*». Quand l'individu brimé par les interdits éthiques de la société ne sait plus s'abandonner à la jouissance orgastique, une stase sexuelle se produit qui engendre des malaises psychiques profonds [4].

---

2. S. Freud, *La vie sexuelle*, P.U.F., 1972, p. 31.
3. W. Reich est né en 1897 et mort en 1957. Les recherches de Reich influencent beaucoup aujourd'hui, les techniques de bio-énergie, très à la mode: cf. Lowen, *La bio-énergie*, Tchou.
4. Pour plus de détails, voir, par exemple, la petite présentation de l'œuvre de Reich par A. Nicolas, *Reich*, Seghers, 1973.

Ainsi, à la différence de Freud, Reich développe une vision très sexualiste de l'homme. La révolution culturelle a pour but, selon lui, de permettre une complète libération de l'énergie sexuelle. « L'économie sexuelle est révolutionnaire parce qu'elle fonde la lutte pour la liberté sur les lois fonctionnelles de l'énergie biologique » [5].

On ne peut ici exposer en détail la pensée fort complexe de Reich, mais on retiendra au moins de ces quelques notes que le fondateur de la végétothérapie [6] a une fâcheuse tendance à opérer une double réduction. Tout d'abord, une réduction des pulsions aux seules pulsions sexuelles, ce qui permet, d'une part, de faire croire en une bonne spontanéité des désirs de l'homme et, d'autre part, de désigner l'organisation sociale comme seule cause des maux de l'être humain. Reich opère également une réduction de la pulsion à son seul aspect énergétique : l'homme est un peu conçu comme une « marmite » sous pression, dont la vapeur doit s'échapper à tout prix sous peine de dysfonctionnements. N'est-ce pas oublier que l'être humain est essentiellement un être de langage pour qui le problème du sens est primordial ?

Le réalisme de Freud

Face à de telles réductions, on comprend que Freud se soit fortement opposé à Reich. Le fondateur de la psychanalyse n'est, en effet, jamais tombé dans les simplismes énergétiques de la végétothérapie, qui conçoivent la société actuelle comme une mauvaise mère frustrante et aliénante. Freud, au contraire, a fait saisir de façon très pertinente les liens que la vie pulsionnelle de l'individu entretient avec la société. L'extrait de son article « La morale sexuelle civilisée » cité plus haut ne doit pas nous induire en erreur. Il témoigne simplement d'un moment de la pensée de Freud qui affina peu

---

5. W. Reich, *La révolution sexuelle*, U.G.E., p. 26.
6. Nom donné par Reich à sa méthode thérapeutique.

à peu sa recherche. Celle-ci se déploie à un double plan : collectif-historique et individuel. Ces deux plans se rejoignent d'ailleurs car, pour Freud, le développement psychologique de l'individu passe par les mêmes étapes que le développement de l'espèce humaine. Nous examinerons sommairement ces deux développements. Mais auparavant, il nous faut souligner la conviction fondamentale de Freud quant à la qualité initiale de l'être humain. Celui-ci ne doit pas être décrit comme un être naturellement bon. Au contraire : la principale cause de l'antagonisme entre les pulsions et la société vient de ce que « l'homme n'est point un être débonnaire au cœur assoiffé d'amour (...) mais un être qui doit porter au compte de ses données instinctives une bonne somme d'agressivité »[7]. L'homme est un véritable loup pour l'homme « La civilisation doit donc tout mettre en œuvre pour limiter l'agressivité humaine (...). De là cette restriction de la vie sexuelle ; de là aussi cet idéal imposé d'aimer son prochain comme soi-même, idéal dont la justification est précisément que rien n'est plus contraire à la véritable nature humaine. »

On le voit, Freud est particulièrement réaliste, voire pessimiste. Loin de réduire, comme on l'a trop dit, la réalité humaine à la sexualité, il donne une place très importante à la dimension agressive de l'homme ; au point d'ailleurs qu'il finira par mettre en place le concept d'*instinct de mort* décrit de façon presque mythique comme une disposition de la matière à retourner à l'inanimé. De même, selon Freud, le devenir des pulsions ne saurait être laissé à la seule spontanéité. Il doit être soumis à une régulation par les interdits et par les préceptes éthiques. En effet, le « mélange » pulsionnel de sexualité et d'agressivité qui constitue l'appareil psychique humain n'est nullement, à ses débuts, dirigé spontanément vers le bien. Le seul principe auquel l'action du psychisme est initialement liée, est la quête du plaisir qui ignore les catégories de bien et de mal. L'unique « souci » du psychisme est,

7. S. FREUD, *Malaise dans la civilisation*, P.U.F., 1971, pp. 64 et 104.

pourrait-on dire, de réduire sa tension en satisfaisant les pulsions sexuelles et agressives.

Ainsi, dans son état primaire, dont il gardera toujours des traces, l'individu est totalement amoral et enfermé dans un vœu de toute puissance radicale. Pourtant l'enfant manifeste rapidement dans sa conduite la présence d'une instance qui le dirige, qui règle et freine l'expression de ses multiples pulsions. La question se pose donc de savoir d'où vient cette instance de régulation. Comme on l'a dit plus haut, Freud répond à cette question en réfléchissant sur la double genèse de l'espèce humaine et de l'individu.

La genèse de l'humanité et l'interdit

Pour faire comprendre comment l'espèce humaine a surgi d'une régulation des pulsions, Freud, utilisant des données ethnologiques de son époque, construit dans l'ouvrage intitulé «*Totem et Tabou*» une sorte de mythe à apparence scientifique.

Au commencement de l'humanité, dit-il, était une horde sur laquelle régnait un père tout-puissant. Celui-ci monopolisait à son profit toute l'activité sexuelle du groupe, en l'interdisant à ses fils. Aussi ces derniers éprouvent-ils bientôt des sentiments opposés vis-à-vis de leur père. Celui-ci est, en effet, perçu comme un modèle puisqu'il réalise ce que les fils rêvent d'atteindre, mais il est aussi vécu comme un rival puisqu'il monopolise toutes les femmes. Cet équilibre d'amour et de haine est fort instable et il ne manque pas de se rompre. Un jour, la frustration devenue trop pénible pour les fils, pousse ceux-ci à tuer le père et à le manger pour s'identifier à lui. Ils pensent ainsi s'assurer la possession de son pouvoir. Mais les fils découvrent vite, sous le mode de la *culpabilité*, une nouvelle présence opprimante du père. Ce que le Père avait empêché autrefois par le fait même de son existence, les fils se le défendent à présent en vertu d'une obéissance rétrospective. Désavouant leur acte, les fils s'interdisent alors de prendre la place du père et de jouir des femmes de façon incestueuse [8].

Ce récit freudien, en forme de mythe, est — on le voit — curieux et même fabuleux! Mais, quoi qu'il en soit de sa valeur ethnologique, il fait comprendre plusieurs vérités anthropologiques fondamentales que les recherches actuelles confirment d'ailleurs:

La sexualité a toujours maille à partir avec la violence. Autrement dit, les pulsions sexuelles sont toujours profondément mêlées aux pulsions agressives [9]. C'est donc une naïveté de croire que l'expression spontanée des pulsions sexuelles ne peut que déboucher sur le respect de l'autre.

La vie sociale commence grâce à une régulation des désirs par la loi: ou encore, il y a un cercle vital entre l'interdit et la société; c'est parce qu'il y a un interdit respecté que la société est viable, mais c'est parce qu'il a une société que l'interdit est appliqué. On voit combien il est illogique et déshumanisant de dire qu'il est interdit d'interdire. La permissivité est à l'avance exclue.

La différence entre les générations (dans ce mythe, la différence entre le père et les fils) et la différence des sexes constituent les deux «rocs» de la réalité humaine. Cela nous rappelle que la régulation des pulsions qui ne respecte pas l'existence de ces deux rocs est destructurante pour la société [10].

Le sentiment de culpabilité est non seulement inévitable, mais structurant pour chaque individu et pour la société. Cette place capitale de la culpabilité apparaît d'ailleurs encore mieux quand Freud se préoccupe de décrire la genèse de l'homme au plan individuel.

---

8. S. Freud, *Totem et Tabou*, P.B. Payot, 1971, pp. 163-165.
9. Cf., par exemple, R. Girard, *La violence et le sacré*, Grasset, 1972.
10. C'est pourquoi la pédérastie n'est pas structurante pour l'enfant qui la vit.

La genèse de l'individu et la culpabilité

Cette genèse individuelle du petit d'homme, telle qu'elle est décrite par Freud, est bien connue du grand public. Aussi ne s'y attardera-t-on pas. Rappelons seulement que la maturité humaine est acquise peu à peu par les mutations successives que subit l'organisation pulsionnelle lors des différents âges de l'enfance. Dès ses premiers jours, l'enfant qui investit très fortement sa zone *orale*, commence déjà à subir une régulation de ses pulsions sexuelles et agressives : notamment parce que sa nourriture ne lui est pas donnée dans n'importe quelle condition. Les multiples frustrations subies pendant les premiers mois aident donc l'enfant à sortir de sa fusion avec la mère, et lui permettent de commencer à instruire sa quête de plaisir par le « principe de réalité » : tout n'est pas possible tout de suite, il faut tenir compte de la société. Le petit d'homme découvre ainsi peu à peu l'existence de l'autre et, simultanément, sa propre individualité.

Cette découverte se fera encore plus nettement lors de la phase *anale* où s'effectue l'apprentissage de la propreté exigé par la société ; d'autant plus que la capacité de contrôler progressivement les sphincters s'accompagne de la capacité de se servir peu à peu du langage. Or, l'usage des mots oblige l'enfant à se distinguer de ce qu'il désigne et à accéder à une certaine altérité.

C'est alors que la phase *œdipienne* va venir couronner provisoirement cette opération de quête d'individualité par « défusionnement ». Elle coïncide avec ce que Freud appelle la mise en place du *surmoi* dont les reproches intérieurs forment le sentiment de culpabilité. Essayons de comprendre.

On sait qu'entre trois et six ans environ, l'enfant est conduit à rentrer dans un jeu très complexe de relations amoureuses et agressives avec ses parents. Il découvre notamment par la présence et par les paroles interdictrices de son père qu'il doit quitter définitivement l'objet premier de son amour : sa mère. Ainsi, comme dans la genèse de la société, Freud montre que les interdits de commettre l'inceste et de prendre la place du père sont essentiels pour la maturation du petit d'homme. C'est parce qu'il y a interdit que l'enfant peut devenir homme ou femme ayant vraiment accès aux autres femmes et aux autres hommes que ses parents. Cependant, ces interdits parentaux et sociaux qui acculent à renoncer à la totale satisfaction de toutes les pulsions ne restent pas externes à l'enfant. Ils vont être intériorisés par lui et fonctionner de façon interne comme une instance de surveillance. C'est cette instance que Freud nomme le *surmoi*. Celui-ci exerce deux tâches. D'une part, il propose un idéal à l'enfant: «Fais ceci, deviens comme cela.» D'autre part, il fait des reproches quand le sujet ne se comporte pas suivant l'idéal proposé. Le *sentiment de culpabilité* est précisément constitué de ces reproches ou de cette morsure que le surmoi inflige au sujet.

De nos jours, ce sentiment a mauvaise presse! Il faudrait, paraît-il, éliminer toute culpabilité dans l'assouvissement de toutes les pulsions. C'est là un pur rêve et surtout une requête proprement déshumanisante! Freud l'a parfaitement perçu. Le sentiment de culpabilité n'est que la face apparemment négative d'un processus éminemment positif: celui qui permet au sujet de s'orienter au milieu de la multiplicité des requêtes contradictoires de ses pulsions; ou encore, celui qui permet aux êtres humains de trouver peu à peu la joie de vivre en commun. Disons-le tout net: sans sentiment de culpabilité, il n'est pas d'homme possible, encore moins de société possible.

De ces quelques données freudiennes, retenons, pour conclure, ces quelques points:

Il n'y a pas de saine régulation de la vie pulsionnelle sans *affrontement à la frustration* et au manque. Telle est la signification la plus fondamentale de ce que les psychanalystes appellent le complexe d'Œdipe et le complexe de castration. Désirer, vivre joyeusement en société impliquent que l'on ait compris que la plénitude qui fut la nôtre lors de notre vie fœtale est définitivement perdue. Le bonheur d'être ensemble n'est possible que dans l'exil de la satisfaction *totale* des pulsions ; ce qui ne veut pas du tout dire que le plaisir pulsionnel n'ait pas à trouver sa juste place.

Surmoi et culpabilité ne sont pas des réalités pathologiques comme voudrait le faire croire une très mauvaise vulgarisation des idées freudiennes. Ce sont bien plutôt des réalités structurantes de l'humanité. En elles, la société régule les pulsions de ses membres. Notamment, par la culpabilité, qui retourne une partie de l'agressivité du sujet contre lui-même, elle maintient la violence dans des proportions supportables par la communauté. Il est vrai cependant qu'il n'est pas facile de gérer socialement la «culpabilité»; tant et si bien que celle-ci a été souvent vécue dans l'histoire de façon pathologique. Aussi chacun a-t-il un long chemin à faire avant d'accéder à une culpabilité plus saine.

En définitive, il importe que, dans la société, chaque éducateur sache poser les «bons» interdits qui permettent au petit d'homme de mettre en place de sains sentiments de culpabilité. C'est là une tâche fort délicate, car deux tentations guettent l'éducateur. Ou il sous-estime, comme le font les vulgarisations reichiennes, la force anarchique des pulsions : il sombre alors dans une permissivité aliénante [11]. Ou, au contraire, surestimant la violence des désirs, il transforme l'interdit «tu ne désireras pas n'importe qui, n'importe comment» en l'interdit castrateur «tu ne désireras plus du tout»; ce qui déclanche des déséquilibres profonds chez le sujet. C'est pour être souvent tombés dans la deuxième tentation que les chrétiens ont tendance aujourd'hui à sombrer dans la première.

Il faut donc le dire et le redire, les interdits éthiques, mis en place, de façon saine, constituent le passage obligé de l'humanisation. Une relecture sereine des dix commandements bibliques pourrait le rappeler utilement aux chrétiens. Ces

---

11. Voir, par exemple : J. CELMA, *Journal d'un éducastreur*, Ed. Champ Libre.

derniers y redécouvriraient avec évidence que seule une régulation, et non pas une dénégation, de nos pulsions les plus primitives permet la vie en société.

L'AIDE NON DIRECTIVE : UNE DÉMISSION ÉTHIQUE ? [12]

De nos jours, de plus en plus de chrétiens sont amenés à participer à des relations d'aide que l'on qualifie de « non directives » : entretiens nécessités par les demandes d'I.V.G., écoute dans des services tels que S.O.S. amitié ou la « Porte ouverte », entretiens éducatifs avec des jeunes, conseil conjugal, etc. Or un certain nombre de ces chrétiens commencent à se poser des questions non seulement sur l'efficacité de ces méthodes non directives, mais aussi sur leur légitimité éthique. La non directivité ne dissimulerait-elle pas un profond laxisme derrière un échafaudage de « théories » psychologiques ? Le chrétien, porteur d'une bonne nouvelle et d'une éthique spécifique, ne doit-il pas tout faire pour empêcher que son prochain ne tombe dans des déviations profondes et que le mal ne se produise ? N'est-il pas du devoir des chrétiens de former un véritable noyau de résistance à certaines pratiques sociales désormais largement répandues et apparemment si contraires à l'esprit et à la lettre de l'évangile : divorce, avortement, cohabitation juvénile... ? Bref, la non directivité implique-t-elle en dernier ressort que l'on néglige certaines exigences évangéliques ?

Je vais tenter de répondre à quelques unes de ces questions en essayant de cerner la place de l'éthique au cœur de ces relations d'aide non directives. Il est évident que le problème soulevé ici est extrêmement vaste et mériterait à lui seul de faire l'objet d'un ouvrage. Il ne saurait donc être question de

12. *Médecine de l'homme,* oct. 1980.

le traiter à fond. Aussi me contenterai-je de mettre en place une problématique qui sollicitera chacun à poursuivre la réflexion.

Remarques préliminaires

Il convient tout d'abord de faire plusieurs remarques qui souligneront la complexité de la question abordée. En premier lieu, le concept de non directivité est un concept un peu « fourre-tout » qui recouvre des techniques psychologiques ou pédagogiques parfois fort différentes. Si la plupart de ces techniques se réfèrent de près ou de loin, aux théories de Carl Rogers, d'autres cependant puisent leurs principes d'action plutôt dans une adaptation des théories freudiennes qui sont à la base de la cure-type psychanalytique. Il est évident que chacune de ces techniques d'écoute nécessiterait un examen éthique spécifique.

En deuxième lieu, il importe de se rappeler que les situations de relations d'aide sont extrêmement multiples et différenciées : il y a l'aide sollicitée par un ami en désarroi, l'aide spirituelle trouvée auprès des prêtres, l'aide éducative, l'aide réclamée par un malade au personnel soignant, l'aide décisionnelle (exemple : entretien d'I.V.G.), l'aide proprement psychanalytique et sans doute d'autres encore.

Bien plus, une relation d'un certain type, par exemple une relation destinée à faciliter une prise de décision lucide et responsable, va se voir parfois radicalement modifiée par la conjoncture dans laquelle elle se vit : l'écoutant est-il un salarié, un bénévole, le représentant d'une institution, un ami ? L'entretien d'aide est-il volontairement choisi par la personne ou est-il imposé par la législation (I.V.G.), par l'institution, par la pression de l'entourage ? Ce qui provoque la demande d'aide est-il un problème qui plonge ses racines d'abord dans le physiologique ou plutôt dans le psychologique ou dans le social ? Une tierce personne est-elle ou non immédiatement concernée par la décision qui va être prise ?...

Il est clair que suivant les réponses à ces questions, la place de l'éthique au sein de la relation sera ressentie de façon assez différente. Aussi, pour éviter d'être trop superficiel en voulant parler de tout, me contenterai-je ici de réfléchir sur la relation d'aide consistant en un *ou quelques* entretiens centrés sur l'interlocuteur (celui que Rogers appelle le «client») dont la technique s'inspire des attitudes rogériennes ou freudiennes, et destinés à aider quelqu'un à un moment difficile de son existence.

La Bible et la relation d'aide

Commençons par examiner si la Bible peut nous éclairer dans l'examen du problème que nous abordons. Remarquons bien sûr que l'on ne peut tirer de l'Écriture des recettes techniques pour l'écoute; recettes qui nous permettraient de savoir d'emblée si telle technique est conforme ou non à l'Évangile. Aujourd'hui certains auteurs ont la tentation de projeter des problématiques contemporaines sur des récits écrits voici bientôt deux mille ans. C'est ainsi que des lecteurs des dialogues de Jésus avec la Samaritaine (Jn 4) ou avec Nicodème (Jn 3) n'hésitent pas à conclure: «voyez, Jésus a une attitude non directive!». C'est oublier d'abord que ces récits ne sont pas la sténographie des dialogues de Jésus mais le résultat de tout un travail rédactionnel des auteurs évangéliques. C'est ensuite tomber dans l'anachronisme, car il est évident que Jésus ignorait tout des théories psychologiques du vingtième siècle! Dans ses dialogues avec ses proches, le Christ ne faisait qu'utiliser les catégories mentales de son époque, compte tenu de la grande liberté que lui donnait sa qualité de fils de Dieu.

Il faut donc plutôt chercher dans l'Ecriture quelques convictions de fond qui peuvent nous aider à discerner la qualité chrétienne de nos relations d'aide. Une toute première conviction, parmi les plus fondamentales, est que l'homme, créature de Dieu, *a besoin d'un Sauveur* pour pouvoir pleinement réaliser son humanité. Autrement dit, ce qui est affirmé ici, c'est la doctrine de la création pervertie par le *péché originel.* Dieu a créé l'homme à son image (Gn 1,27) en vue d'en faire son fils adoptif (Gal 4,6), mais l'homme refusant cette vocation d'amour, a préféré pervertir tout son champ relationnel par la mise en œuvre d'une volonté illusoire de toute puissance (Gn 3). Désormais, tout petit d'homme rentre dans un monde où le péché a pris corps dans des structures d'oppression et d'aliénation. Mais la Bonne Nouvelle du christianisme consiste précisément à affirmer que cette situation d'aliénation ne se présente pas comme un destin qui condamne chacun à subir et à alimenter sans fin le cercle de l'oppression de l'homme par l'homme. En effet Dieu a déployé son amour pour nous jusqu'à envoyer parmi nous son Fils. Avec la coopération de l'Esprit, il permet à tout homme de se libérer peu à peu, en Église, de la contrainte du péché. Ainsi, chacun peut reconstituer son champ relationnel en reconnaissant de nouveau Dieu comme son créateur-sauveur et l'autre comme infiniment digne d'être respecté.

Ce petit rappel doctrinal est important dans la mesure où il nous met en garde contre certaines illusions qui pourraient surgir aujourd'hui dans la relation d'aide: illusion de croire que l'homme est naturellement bon et que sa spontanéité le poussera d'elle-même à se tourner positivement vers l'autre et à augmenter sa sociabilité. Significative à cet égard est cette réflexion de Rogers: «La nature fondamentale de l'être humain, quand il fonctionne librement, est constructive et digne de confiance (...). Nous n'avons pas à nous demander qui contrôlera les instincts d'agressivité (de l'individu), car au fur et à mesure qu'il deviendra plus ouvert à tous ses instincts, son besoin d'être aimé et sa tendance à donner de l'affection seront aussi forts que les instincts qui le poussent à frapper ou à saisir [13]».

Le christianisme nous protège d'un tel optimisme naïf et prend au sérieux la capacité humaine de se refuser à aimer

---

13. C. Rogers, *Le développement de la personne*, Dunod, 1966, p. 148.

comme la capacité du pardon de Dieu de permettre à chacun de réorienter positivement son réseau de relations et sa façon d'être au monde, par la médiation de l'action de son prochain. La foi et la morale chrétiennes affirment donc que la libération humaine est toujours un «combat *réceptif*», c'est-à-dire une rude bataille contre les forces égocentristes que constitue le péché mais une bataille qui, précisément, se décentre d'elle-même parce qu'elle ne sera victorieuse que dans la mesure où elle se reçoit de la puissance libératrice de Dieu.

Se rappeler la doctrine de l'existence du péché et du pardon de Dieu au cours d'une écoute me paraît d'ailleurs important pour l'écoute elle-même car une telle doctrine me provoque à reconnaître la dignité de mon interlocuteur, à être humble et à être vrai.

A reconnaître la dignité de l'autre, parce que l'affirmation de la possibilité du péché est simultanément affirmation de la liberté : mon interlocuteur n'est pas une marionnette soumise au déterminisme de ses pulsions, de la pression sociale ou de ses idéologies ; il est, malgré tous ses conditionnements, quelqu'un capable de faire des choix dans le mystère de sa conscience.

A être *humble*, parce que je découvre que je ne suis pas le libérateur de mon interlocuteur, mais simplement une des médiations par laquelle la libération apportée par Dieu peut partiellement se manifester. La vraie foi peut en définitive favoriser l'attitude de non toute-puissance qui cherche à s'établir dans toute relation non directive digne de ce nom.

A être *vrai*, parce que la prise au sérieux de notre capacité à pécher évitera de projeter tous les torts, de façon outrancière voire paranoïaque, sur la «mauvaise société qui aliène tout le monde et qui empêche chacun d'exprimer sa liberté». C'est toujours un signe de maturation quand une personne, au cours d'une relation d'aide, perçoit les conditionnements familiaux et sociaux qui sont les siens et aussi quand elle vient à reconnaître qu'elle même participe plus ou moins à la mise en place de ses aliénations.

Une autre réalité biblique peut interpeller et même mettre dans l'embarras les chrétiens qui pratiquent des écoutes non directives. Je veux parler de la réalité du *prophétisme*; réalité qui constitue chacun de nous comme une sorte de «veilleur» (Ez 3,17) par rapport au devenir des hommes. Fort troublante pour beaucoup de personnes dont la profession est d'écouter, est cette parole du livre d'Ezéchiel: «Je t'ai fait sentinelle pour le peuple... Si tu ne parles pas pour avertir le méchant d'abandonner sa conduite mauvaise, afin qu'il vive, c'est lui le méchant qui mourra de son péché, mais c'est à toi que je demanderai compte de son sang.» (Ez 3,17-18). Cela signifie-t-il que le chrétien qui se contente d'écouter sans admonester une personne qui va commettre un acte gravement répréhensible (avortement, infidélité conjugale...) est complice de ce mal et tombe sous le coup de l'avertissement de Dieu au prophète Ezéchiel?

Certains ne manquent pas de répondre que ces avertissements divins sont réservés aux seuls prophètes de l'Ancien Testament qui, de fait, ne cessent de prendre à partie le peuple d'Israël et ses rois. Mais, force est bien de constater que le Nouveau Testament ne manque pas lui aussi de recommandations quant à la nécessité de la correction fraternelle: «Si ton frère vient à pécher, reprends le... S'il refuse d'écouter même la communauté, qu'il soit pour toi comme le païen et le publicain.» (Mt 18,15-17) Saint Paul ira même jusqu'à demander aux Corinthiens d'exclure un incestueux de leur communauté. (1 Co 5). Quant à Jésus, si l'on se fie à un survol rapide des évangiles, il est bien loin de se taire devant les déviations éthiques de certains de ses contemporains: il fait preuve, par exemple, d'une rare violence vis-à-vis de certains pharisiens hypocrites (Mt 23). Alors, le silence de celui qui écoute dans la relation centrée sur l'interlocuteur n'est-il pas contraire à toutes ces exigences évangéliques qui nous recommandent de refuser toute compromission avec ceux qui oppriment les autres ou s'aliènent volontairement?

C'est ici que, pour répondre, il faut éviter de se référer de façon simpliste à des passages de l'Ecriture. De fait, il existe bien pour tout chrétien un devoir de solidarité avec ses frères qui doit le conduire à exercer un certain prophétisme et une certaine correction fraternelle, ceci au risque parfois de perdre sa vie (Cf. Jean Baptiste vis-à-vis d'Hérode ou récemment Mgr Roméro vis-à-vis des pouvoirs de son pays). Mais cette mission prophétique doit s'exercer de façon *modulée*, en tenant compte de la conjoncture précise dans laquelle elle s'exerce. On le voit bien en regardant Jésus lui-même. D'une violence extrême avec les pharisiens en tant que groupe constitué sûr de son savoir religieux, il se fait presque timide dans le rappel des valeurs morales lors des entretiens ou des rencontres qu'il a avec des pécheurs ou des déviants.

Ainsi lorsque la femme prise en flagrant délit d'adultère (Jn 8,3-11) et considérée comme un *objet* de répulsion par le moralisme des scribes et des pharisiens, est amenée à Jésus, celui-ci a une attitude quasi silencieuse et telle que la femme redevient *sujet* de parole et se voit tout simplement renvoyée à sa responsabilité: «Va, désormais ne pèche plus.» De même, avec la Samaritaine, (Jn 4) Jésus se contente, par une parole de vérité («tu n'as pas de mari, car tu as eu cinq maris»), de faire accéder la femme à un questionnement beaucoup plus radical. Étrange façon d'exercer le prophétisme et la correction fraternelle! Mais façon excellente, parce qu'elle n'enferme pas la personne dans l'étroitesse du légalisme. Au contraire, elle l'ouvre à un avenir nouveau.

C'est que la réalité qui informe tous les dialogues de Jésus est celle de l'amour (l'*agapé*) dont la description est faite de façon admirable par Saint Paul (1 Co 13,4-7): «L'amour prend patience... Il ne tient pas compte du mal [14]; il ne se réjouit pas de l'injustice, mais trouve sa joie dans la vérité. Il excuse tout, croit tout, espère tout, supporte tout.» La façon

14. La Traduction Œcuménique de la Bible transcrit: «l'amour n'entretient pas de rancune».

d'exercer la fonction prophétique n'a donc de sens que si elle est expression de cet amour tel qu'il vient d'être écrit. N'est-ce pas d'ailleurs le même Saint Paul qui, juste avant les versets que nous venons de lire, s'écrie: «quand j'aurais le don de prophétie, s'il me manque l'amour je ne suis rien» (v. 2)? Il nous reste donc à tenter de discerner si la relation d'aide centrée sur l'interlocuteur peut respecter les conditions évangéliques fondamentales qui, loin d'en faire une démission éthique, en feront une expression d'une relation conforme à l'*agapé*. Ce discernement ne peut se faire qu'en examinant de façon assez concrète les réalités qui constituent la relation d'aide.

L'éthique dans la relation d'aide

Essayons tout d'abord de mieux percevoir la situation de la personne qui consulte. Celle-ci est toujours en position d'attente, si du moins sa démarche n'est pas faite sous la contrainte [15]. Le consultant en effet a perdu en partie ses évidences intérieures et cherche le chemin qu'il doit suivre pour tenter de sortir de ses problèmes et de son mal de vivre. Ce premier constat est important car il nous rappelle que la demande d'aide se situe d'emblée au cœur de la tâche éthique la plus fondamentale, à savoir la quête du bonheur. En effet, on peut définir la volonté éthique comme la volonté de prendre les moyens de s'humaniser davantage en relation avec les autres. Or c'est bien cette volonté qui est présente, au moins de façon latente, quand une personne demande de l'aide. Cette personne cherche confusément à retrouver une certaine certitude intérieure sur ce qui est pour elle la meilleure voie d'humanisation. Bien plus, cette recherche se fait face à quelqu'un; ce qui manifeste que la volonté d'ouverture à

15. L'obligation de l'entretien pour une demande d'I.V.G. modifie parfois considérablement la teneur de la relation. Celui qui écoute doit exercer tout son art pour tenter de reconstituer un climat de liberté dans l'entretien, sous peine que rien de constructif ne s'y passe.

l'autre, qui est constitutive de toute démarche morale authentique, est d'emblée présente au sein de la relation d'aide.

Une autre réalité de la personne qui consulte doit être très sérieusement prise en compte : le sentiment qu'elle a fréquemment d'avoir été « piégée » par la morale et même parfois, si elle est chrétienne, par la foi. Il arrive en effet assez souvent que des personnes aient été aliénées par une éducation qui a engendré en elles un surmoi trop sévère, facteur de culpabilités morbides ou de symptômes névrotiques. Ou encore, il n'est pas rare, surtout chez les chrétiens, de constater que l'usage des valeurs morales a servi à conforter une mauvaise idéalisation qui enferme dans la clôture de l'imaginaire et qui accule ensuite les sujets à des déceptions perpétuelles et à des autodépréciations. En sens inverse, il se peut que les interdits éthiques ayant été trop peu posés pendant l'enfance, des personnes se retrouvent devant un vide normatif qui les laisse dans une situation d'angoisse ou encore d'agressivité. Bref, s'il est impossible de décrire ici toutes les situations que l'éducation morale a provoquées chez les consultants, il est par contre possible d'affirmer que chacun de nous, pourrait-on dire, a un « compte à régler » avec une certaine image de la morale. La façon dont nous investissons l'éthique et les instances parentales ou institutionnelles qui en ont été porteuses, n'est jamais affectivement ou psychologiquement neutre. Bien au contraire !

C'est précisément ici qu'intervient la notion de *transfert*. En effet, une relation d'aide même courte, est toujours marquée, rappelons-le, par des aspects transférentiels, c'est-à-dire par une réactivation, le plus souvent inconsciente, d'expériences infantiles archaïques. Or c'est *à travers* ces réactions transférentielles que vont être perçus, par l'interlocuteur, non seulement les jugements de valeur émis éventuellement par celui qui écoute, mais aussi — et on l'oublie trop souvent — les refus d'évaluer ce qui est dit. C'est donc une illusion de croire que l'absence de jugements évaluatifs chez celui qui écoute constitue une parfaite neutralité éthique de sa part. Tout d'abord parce qu'il est bien rare que par la façon dont l'écoutant se tait, sourit, interroge, relève tel propos... quelque chose de ses positions éthiques ne passe pas dans la conscience de l'interlocuteur. Ensuite, et surtout, parce que l'absence de jugement peut parfois être ressentie, en raison de tel transfert, comme une déviation éthique. C'est ainsi par exemple, que l'on verra tel sujet percevoir le silence de l'écoutant comme une permissivité perverse ou encore comme une attitude un peu sadique qui laisse volontairement la personne dans l'angoisse qui est sienne. C'est pourquoi le refus de faire de la relation d'aide centrée sur l'interlocuteur un lieu de démission éthique consiste d'abord à *s'interroger sur le contenu transférentiel* pour tenter de découvrir comment les propos à connotation éthique seront ressentis par les deux partenaires de la relation.

Il n'est donc pas sûr, à mon avis, que le fait pour l'écoutant de taire *systématiquement* des valeurs auxquelles il croit soit toujours le meilleur chemin pour aider quelqu'un dans un moment difficile de son existence [16]. Il est peut-être parfois préférable, *dans tel cas précis*, d'oser rappeler certaines exigences éthiques et de solliciter la responsabilité du sujet ; autrement dit d'exercer explicitement la fonction prophétique dont nous parlions plus haut. Mais pour qu'une telle attitude n'enferme pas le sujet dans ses blocages, dans ses pièges narcissiques, dans ses angoisses devant les instances parentales intériorisées, cela suppose un certain nombre de conditions. Autrement l'interpellation prophétique produira l'effet inverse de celui qui est recherché : le sujet, dans le transfert, ressentira cette interpellation comme une reprise des semonces parfois aliénantes des personnages de son enfance et comme une réactivation des peurs infantiles archaïques. Du coup il fuira la vérité de son désir, tentera de se libérer de son angoisse par des conduites agressives ou des attitudes régres-

---

16. Rappelons ici que nous examinons le cas des relations d'aide *ponctuelles* et non pas celui des relations de psychothérapie ou de psychanalyse.

sives qui, à terme, aggraveront son malaise intérieur, voire son inadaptation sociale.

Quelles sont donc les conditions nécessaires pour qu'une interpellation prophétique éventuelle aît quelques chances d'être positive dans une relation ? Elles résident d'abord bien sûr dans la technique de l'écoutant qui saura utiliser à bon escient les conseils des psychologues : se connaître soi-même, s'accepter avec ses propres contradictions intérieures, être au clair avec ses motivations d'aide, savoir se laisser interroger par les propos et l'expérience de l'interlocuteur, se situer dans le transfert, lire avec calme les anxiétés et les désirs que provoque la relation d'aide, reconnaître la prise de pouvoir que représente l'interpellation éthique, juger de sa propre liberté par rapport à l'éducation morale reçue dans l'enfance, tenter d'avoir une empathie réelle, etc.

Tous ces conseils techniques sont excellents ; et si l'on veut les appliquer avec sérieux, cela suppose une ascèse professionnelle très profonde, une volonté de faire constamment la vérité dans sa vie, un décentrement de soi pour faire place à l'autre ; toutes choses qui consonnent parfaitement avec la réalité de l'amour évangélique et qui montrent bien que la véritable non directivité est loin d'être une démission éthique. Mais en définitive, ce qui est exigé de celui qui aide, ce ne sont pas des techniques, si précieuses soient-elles, c'est une véritable façon d'*être* qui soit mise en œuvre de l'*agapé*.

Cela signifie que l'écoutant doit tenter de « mettre sa joie dans la vérité » (1 Co 13,6) de « prendre patience » c'est-à-dire de tolérer en vue d'une maturation les lenteurs et les errances éventuelles de son interlocuteur et surtout d'espérer en l'autre comme le fait Jésus qui ne cesse d'ouvrir un avenir à tout homme, fut-il le plus grand des pécheurs. La véritable interpellation éthique dans la relation d'aide se situe là en tout premier lieu. Quand une personne a pu *expérimenter* au cours d'un entretien qu'elle est infiniment digne d'être respectée, alors une *chance* lui est ouverte pour avoir envie à son tour de respecter au mieux son prochain. C'est *l'expérience* de l'amour qui provoque *à* l'amour[17]. Si donc il advient qu'un rappel des valeurs soit fait dans l'entretien et ne soit pas accompagné d'une expérience de l'*agapé*, alors ce rappel ne pourra que contribuer à aliéner l'autre.

Nous venons d'examiner la place de l'éthique dans la relation d'aide. Pour être tout à fait complet, il faudrait s'attarder maintenant à découvrir les présupposés éthiques et anthropologiques qui sous-tendent l'*institutionnalisation* de plus en plus fréquente dans notre société de telles relations et la création d'organismes chargés de les promouvoir. Cela dépasse mon propos. Mais on pourrait à bon droit se demander quelle est la signification de cette multiplicité de lieux où l'on se met à écouter des personnes en difficulté. De quel malaise social, cette généralisation des relations d'aide est-elle symptôme? L'aide individuelle institutionnelle ne peut-elle pas parfois être un bel alibi pour éviter de traiter les causes sociales des injustices et des malaises relationnels? Le fait de se centrer sur les problèmes des individus n'est-il pas parfois l'expression du présupposé suspect selon lequel l'équilibre social sera meilleur si chacun décide comme il l'entend? Mais alors, quelle consistance donne-t-on aux réalités sociales, aux institutions politiques et économiques? La contrainte sociale n'a-t-elle aucune fonction positive pour l'équilibre des individus? N'y a-t-il pas une mauvaise «myopie» à se centrer uniquement sur les conséquences individuelles et à court terme des décisions des personnes?

Autant de questions dont les réponses sont essentielles pour pouvoir juger de la qualité éthique de la relation non directive. La belle lucidité que prétendent avoir parfois ceux qui écoutent risque de déboucher sur une profonde cécité si la réflexion sur la pratique de l'aide non directive n'est abordée qu'avec une problématique intimiste. C'est pourquoi il serait souhaitable que sociologues, économistes, hommes

---

17. Je dis bien «qui provoque à l'amour» et non pas «qui provoque l'amour» c'est-à-dire qui déclenche automatiquement le mouvement d'amour. L'interlocuteur reste en effet toujours libre de s'aliéner.

politiques, pour approfondir la réflexion éthique, se penchent eux aussi sur ces questions que l'on croit trop souvent réservées aux seuls psychologues.

CHRISTIANISME ET ÉPANOUISSEMENT SEXUEL [18]

«Quiconque suit le Christ, homme parfait, devient lui-même plus homme» (*Gaudium et Spes,* 41). Cette conviction du concile Vatican II est aussi celle de tous les chrétiens qui sont persuadés que la suite du Christ est pour eux chemin d'épanouissement humain. Appliquée au domaine de la sexualité qui fait l'objet de ce chapitre, et compte-tenu de son contexte ecclésial, la parole conciliaire pourrait être transposée ainsi: «Quiconque suit le Christ *annoncé par son Église* devient plus femme ou plus homme, ou encore accède à une sexualité plus joyeuse parce que plus humaine.» Or, une telle affirmation est, depuis des décennies, soumise à des critiques sérieuses tant de la part de nombreux chrétiens que de celle de beaucoup d'incroyants. L'histoire des reproches adressés à la morale sexuelle chrétienne et surtout catholique a été suffisamment faite, pour que l'on n'ait pas besoin de s'y attarder [19]. Rappelons seulement que, selon leurs détracteurs, les exigences éthiques du christianisme sont le fruit d'un véritable obscurantisme incapable de faire droit aux découvertes des sciences contemporaines, et imposant aux personnes des normes si irréalistes qu'elles les conduisent au mal de vivre, voire à la névrose. La morale sexuelle ecclésiale est bien peu

18. Article paru dans *Concilium* 175, 1982, 87-97. L'ensemble du numéro de cette revue entendait répondre à la question suivante: «l'humain est-il un critère de l'existence chrétienne?» Ce chapitre s'efforce donc d'examiner cette question en ce qui concerne la vie sexuelle.

19. Cf. par exemple: J.T. NOONAN, *Contraception, A History of its Treatement by the Catholic Theologians and Canonists,* Cambridge, 1966; E. FUCHS, *Le Désir et la Tendresse*, Genève, 1979.

chrétienne, disent ses critiques, parce qu'en définitive elle est bien peu humaine.

Ainsi, de nos jours, la compréhension de la sexualité à la lumière de la seule raison est devenue la pierre de touche par excellence de la qualité chrétienne de la vie sexuelle. Dès lors, le moraliste chrétien, soupçonné d'être au service de normes inhibitrices, est acculé à une tâche apologétique. Il doit montrer que ce qui semble pleinement humain aux hommes d'aujourd'hui en matière de sexualité est *en droit* conforme aux données de la Révélation ou, au minimum, non contradictoire avec elles. Ma thèse est d'affirmer que cette «démonstration» est globalement devenue aujourd'hui possible, à deux conditions cependant: faire résolument un retour aux sources bibliques en reconnaissant certains gauchissements ou errements de la tradition en matière de morale et d'anthropologie sexuelles; prendre acte que certaines divergences subsistent toujours (dans la théorie et dans la pratique) entre la compréhension chrétienne de la sexualité et celle d'un grand nombre de nos contemporains. Mais précisément, ces divergences doivent alerter le théologien; car si elles peuvent être le signe de l'errance de la pensée chrétienne, elles peuvent aussi constituer le symptôme d'une autocompréhension ou d'une praxis de l'homme aliéné dans l'idéologie ou le péché. C'est pourquoi, si le moraliste doit tenter de faire sentir l'harmonie entre la pensée contemporaine sur la sexualité et la vision biblique, il ne peut faire de la première le critère dernier de la vérité de la seconde. Ce serait oublier que la Parole de Dieu est fondamentalement juge de notre «sagesse» humaine *(1 Co 1).* Une deuxième tâche s'ouvre donc au moraliste: montrer que la vision biblique relue en Église interpelle radicalement, sur certains points, la vision de nos contemporains. Cela ne signifie pas qu'une morale sexuelle vraiment chrétienne élaborerait des normes concrètes supra-humaines indiscernables par l'effort de la seule raison, mais bien plutôt que la Révélation sollicite la raison à mieux percevoir les impasses éthiques dans lesquelles elle s'engage et aussi à se libérer de certaines de ses obscurités ou pesanteurs qui l'empêchent de trouver la meilleure façon pour l'homme de se réaliser comme liberté sexuée.

Ces deux tâches, d'apologie et d'interpellation, constituant un très vaste programme, il ne saurait être question de les réaliser ici. Je me contenterai donc de les illustrer par quelques exemples.

Remarques méthodologiques

Le théologien qui s'efforce de montrer la compatibilité de la vision biblique [20] de la sexualité avec ce qui paraît humain à nos contemporains doit prendre conscience de deux faits:

1. Il n'existe pas à vrai dire *une* vision biblique de la sexualité. L'Écriture ne comporte, ni dans sa totalité ni dans un de ses livres, une réflexion phénoménologique ou éthique très élaborée sur la vie sexuelle. C'est toujours à l'occasion de telle réflexion d'ordre théologique, ou en réponse à des questions pratiques posées par des communautés, ou encore à propos d'observations sur les conduites des hommes et des femmes, que vient au jour une péricope biblique parlant de la réalité sexuelle. Les synthèses de morale sexuelle biblique ont donc toujours un aspect factice qui facilite leur gauchissement par les présupposés idéologiques et les désirs inconscients de leurs auteurs. Toutefois, il est certainement possible d'extraire de l'Écriture un certain nombre de convictions qu'on ne peut rejeter sans devenir manifestement infidèle à la Parole de Dieu [21]. Ce sont ces convictions que le théologien doit mettre en dialogue avec les convictions anthropologiques contemporaines.

---

20. Dans ces pages, pour des raisons de place, je laisse de côté la confrontation de l'anthropologie contemporaine avec les données issues de la Tradition. Celles-ci ont souvent déformé la lecture biblique de la sexualité.

21. Par exemple, la dédivinisation du sexe, la différence sexuelle comme sommet de l'acte créateur de Dieu, etc.

2. Il n'existe pas *un* discours unifié sur le sexe. Si l'on avait tendance à l'oublier, la multiplicité des compréhensions culturelles de la sexualité serait là pour nous le rappeler. Pour opérer la confrontation avec l'Écriture, le théologien est donc contraint de partir de ce qui lui apparaît humain dans sa propre culture. Mais il est vite embarrassé, car cette dernière lui propose des compréhensions scientifiques et philosophiques de la sexualité variées et parfois même contradictoires. Pour ne citer qu'un exemple, considérons les divergences qui existent, en matière de théorie et de thérapie, entre les écoles reichiennes et freudiennes, pourtant toutes deux fort écoutées en Occident. Au nom de quelle analyse et de quelles précompréhensions le théologien va-t-il alors décréter que la vision freudienne de la sexualité propose un meilleur critère de l'humain que la pensée reichienne? Au nom de la critique provenant d'autres savoirs anthropologiques? Mais, ces savoirs, le théologien ne peut les posséder tous parfaitement. Il est donc mal placé pour juger de la pertinence de leurs critiques, d'autant plus qu'ils sont eux-mêmes objets de contestation. Ainsi le choix par le moraliste de ce qui est déclaré conforme à l'humain est foncièrement chargé d'un certain nombre d'aléas et, en tout cas, toujours perspectiviste. Ceci d'autant plus qu'un discernement — et a fortiori un discernement sur une conduite sexuelle — n'est jamais asexué. Il serait donc illusoire de croire que la détermination sexuelle de celui qui discerne n'intervient pas fortement dans l'appréciation de ce qui, sexuellement, respecte l'humain. Comme tout autre savoir, la théologie ou l'anthropologie est sexuée. Pour l'avoir oublié, la morale chrétienne a parfois gravement erré [22].

Ces quelques remarques nous font soupçonner que la catégorie très essentialiste d'*humain* utilisée comme critère de l'existence chrétienne dans le domaine de la sexualité n'est guère immédiatement opératoire. Il est pourtant difficile de

22. Que l'on pense, par exemple, aux propos de la Tradition sur la femme.

s'en passer. En effet, elle désigne d'abord l'horizon dernier qui est visé par la raison humaine en quête de sa liberté plénière. Puis elle constitue ce à partir de quoi le théologien peut découvrir que la suite du Christ répond bien au désir d'autoréalisation de l'homme. En vérité, l'*humain* qui sert de précompréhension à la lecture de l'Écriture ou de l'existence chrétienne est constitué par une certaine image de l'homme sexué qui s'impose à tel moment de l'histoire dans telle société, image à laquelle le théologien adhère [23]. Cette image s'élabore essentiellement à partir de deux sources: d'une part l'ensemble des résultats les plus sûrs des diverses recherches anthropologiques et philosophiques sur la sexualité, d'autre part, et peut-être surtout, les mœurs sexuelles ambiantes qui, plus que tout discours, imposent subrepticement une vision de l'homme et de la femme. C'est dire que l'adhésion du théologien à telle ou telle conception de l'équilibre sexuel humain relève non de l'évidence mais d'une critique éthique qui aboutit seulement à une certitude *morale*. Celle-ci, suivant l'expression d'Ollé-Laprune, «est tout ensemble assentiment de la raison et consentement de la volonté». Elle est donc marquée nécessairement au coin d'une culture, d'une idéologie et de désirs inconscients. Cela signifie en définitive que toute personne qui tente de critiquer la morale sexuelle devra reconnaître qu'elle est toujours dupe «quelque part», suivant une expression usuelle des psychanalystes.

On peut donc penser que la catégorie d'*humain* fonctionne, en matière de sexualité, de façon à la fois positive, critique (ou négative) et ouverte:

Positive, parce qu'elle indique des passages obligés de l'épanouissement humain, en faisant ressortir les *invariants* qui se retrouvent en tout individu, quels que soient ses conditionnements historico-culturels [24]; invariants dont il faut respecter

---

23. Un regard jeté sur la Tradition le montre à l'évidence.

24. Par exemple: les pulsions primaires, la prématuration de l'*infans* et ses conséquences, le complexe de castration, le complexe d'Œdipe, la nécessité de l'interdit de l'inceste...

l'existence sous peine de destructurer totalement ou partiellement l'être humain.

Critique ou négative, parce que l'extension universelle de la catégorie d'humain empêche celle-ci de proposer à chaque individu, toujours situé en un temps et en un lieu, un modèle très étroitement défini de conduite sexuée [25]. Mais aussi parce que l'exigence d'universalité que porte la revendication d'une conduite qui soit vraiment *humaine* pourra, comme un «tribunal», manifester que tel comportement sexuel est incompatible avec l'avènement de la liberté en société [26].

Ouverte, la catégorie d'humain l'est nécessairement, parce que la compréhension de ce qu'est l'homme sexué et de ce qu'il doit être dans le concret de son devenir ne peut qu'être une tâche toujours reprise, affinée, modifiée par le surgissement des nouveaux savoirs qui, dans le domaine de la sexualité, sont encore fort balbutiants.

Le travail du théologien est donc de prouver que la morale sexuelle qui s'inspire des données de la Révélation n'invalide pas, mais corrobore et parfois interpelle en la critiquant la morale construite autour de la catégorie de l'humain ainsi perçue. En prenant quelques brefs exemples, essayons de montrer que cela est possible.

La sexualité : un rappel de notre finitude

Une des convictions les plus fermes surgies des recherches anthropologiques contemporaines est certainement celle-ci : la sexualité constitue une dimension *essentielle* de l'être humain. La biologie établit que toutes les cellules humaines sont déterminées sexuellement. La psychanalyse montre que toutes les relations humaines au cosmos, aux autres et aux

25. Ce qui laisse place, par exemple, à un certain pluralisme culturel quant à la façon de mener la vie de famille.

26. Par exemple, en utilisant la règle kantienne de l'universabilité, la prostitution apparaît comme inacceptable d'un point de vue éthique.

images de Dieu sont marquées par la sexualité. Les sciences sociales soulignent que les phénomènes sociaux sont en interaction étroite avec la façon dont les hommes et les femmes assument leur sexualité. Ainsi, l'homme n'existe pas hors d'une détermination sexuelle. Cela signifie, entre autres, que la sexualité est une réalité indépassable qui constitue pour l'être humain une des manifestations les plus claires de sa finitude. Être sexué, c'est d'abord être renvoyé bien sûr à son propre corps de désirs dans lequel on est cerclé. Être sexué, c'est être coupé radicalement de l'autre sexe [27] tout en étant habituellement fortement attiré par lui dans le souhait de reconstituer une plénitude perdue. Être sexué, c'est sentir en soi l'inévitable surgissement du trouble, rappel parfois extrême de notre dépendance à l'égard de l'autre. Être sexué, c'est percevoir en soi des désirs de «contre-ordre» (Lévi-Strauss) tant la sexualité est intriquée avec la violence. Être sexué, c'est prendre conscience que loin d'être *causa sui*, l'on est le fruit d'une rencontre de deux êtres différents... Bref, reconnaître que l'on est sexué, c'est recevoir de la façon la plus nette un démenti à notre vœu de toute-puissance.

Bien plus, la perception du lien entre la condition sexuée et la finitude est redoublée quand on prend conscience que la sexualité est par excellence le «lieu» du *partiel*. En effet, contrairement à ce que croit le sens commun, la sexualité humaine n'est pas un instinct massif biologiquement prédéterminé à la rencontre d'un objet total du sexe opposé [28]. Elle est, semble-t-il, une organisation plus ou moins labile de pulsions partielles qui s'est mise en place au cours d'une évolution, souvent tourmentée, de plusieurs années. L'observation clinique montre que, même lorsque ces pulsions ont fini par s'ordonner à la rencontre d'un partenaire de sexe opposé considéré dans sa totalité, elles n'en continuent pas moins à exercer leurs pressions. Dans toute personne humaine, il subsiste donc des pulsions partielles mal intégrées. Accepter ces données anthropologiques, c'est accepter de dire que la

---

27. Comme le montre l'étymologie latine: *sexus-secare*.
28. Si du moins on accepte la vision freudienne de la sexualité.

sexualité humaine est une réalité en devenir, capable de régression, de fixation, de progression. C'est aussi prendre acte de deux faits: il y a une parenté entre le normal et l'anormal, et aucune personne n'a une sexualité bien «en place» une fois pour toutes.

Ainsi, et par les limites qu'elle impose, et par sa dimension partielle affectée par la temporalité, la sexualité accule doublement le sujet à la reconnaissance de sa finitude. La réflexion éthique qui prend en compte ces données anthropologiques affirme donc que toute tentative de dénier cette finitude est foncièrement inhumaine et ne saurait être tolérée.

Or, précisément, beaucoup de nos contemporains reprochent à la vision chrétienne d'encourager une telle tentative. Selon eux, la morale sexuelle chrétienne serait fondée sur une méconnaissance de la dimension sexuée de l'homme et sur une fuite des pulsions, notamment par le maniement du thème de l'eschatologie. Elle serait également incapable de sortir d'une problématique du tout ou rien, précipitant ainsi dans la mauvaise culpabilité ou la désespérance les personnes dont l'organisation psychosexuelle est atypique (par exemple les homosexuels). Ces critiques sont en fait souvent méritées par les propos et les conduites des chrétiens. Mais *en droit*, sont-elles pertinentes envers une morale qui serait vraiment inspirée de l'Écriture? Je ne le pense pas.

Bible et sexualité

Tout d'abord, la Bible s'accorde parfaitement avec la pensée contemporaine pour considérer la sexualité comme une dimension essentielle de l'être humain. Il n'est que de relire les deux récits de création (*Gn 1-2*), auxquels d'ailleurs Jésus fait allusion en *Mt 19*,4-6, pour s'en convaincre. De ces récits surgissent plusieurs convictions: 1). La relation sexuée homme-femme est présentée dans la tradition tant yahviste que sacerdotale comme le sommet de l'acte créateur de Dieu. Elle est même qualifiée de très bonne et elle constitue pour Adam, qui reconnaît en sa compagne un être à la fois semblable et différent, l'occasion d'un cri d'allégresse. 2) La sexualité est dédivinisée et ramenée à un statut pleinement séculier. Toute utilisation sacrale du sexe en vue d'accéder à une sorte de toute-puissance divine est désormais exclue. 3) La sexualité est une marque de la contingence humaine. C'est pourquoi l'un des effets du péché, qui est dénégation de l'état de créature, est de pervertir la relation homme-femme (*Gn 3*,7.16).

Autant dire que toute réflexion anthropologique, théologique ou éthique qui s'efforcerait de faire l'économie de la finitude sexuelle serait en nette contradiction avec la Révélation. Celle-ci peut même contribuer à mettre en garde nos contemporains contre une dévalorisation du sexe qui surgit paradoxalement de la banalisation excessive de sa mise en œuvre. En effet, l'Écriture nous rappelle avec force cette vérité anthropologique aujourd'hui trop souvent négligée : le sexe n'est pas un problème dont on peut faire le tour, mais un mystère qui implique l'homme et la femme dans leurs racines les plus profondes. Sans survaloriser l'exercice de la sexualité, il faut cependant considérer que celui-ci engage des réalités personnelles et collectives très importantes. Pour accéder à la joie de vivre et éviter la violence réciproque, le sujet humain ne saurait donc se fier à une pseudo-régulation de la sexualité par elle-même. En vérité, l'usage du sexe, pour être humanisant, nécessite toujours une régulation éthique très attentive.

Sexualité et eschatologie

Soit ! disent les critiques, la Bible reconnaît le finitude impliquée par le sexe. Mais cette reconnaissance n'est-elle pas aussitôt annulée par l'usage du thème eschatologique ? Par exemple, le célibat consacré n'est-il pas souvent présenté par les chrétiens comme une anticipation de « la vie eschatologique où la plénitude de charité sera telle qu'elle n'aura plus besoin du détour par les corps » [29] ? N'est-ce pas dire que

29. R. BRAGUE, *in* Collectif, *La Morale, sagesse et salut*, Paris, 1981, 63.

l'anticipation eschatologique permettrait à certains de « faire l'ange », c'est-à-dire d'éviter de reconnaître que toutes les relations humaines, même dans le célibat, mettent en œuvre des pulsions partielles dont le substrat est bien corporel ?

Il faut le constater, certains propos théologiques du passé et du présent [30] ont fait une utilisation du thème eschatologique qui a invité à occulter le sexe. Mais là encore, cette utilisation n'est pas conforme à une saine lecture de l'Écriture. L'eschatologie inchoative, telle qu'elle se présente dans la Bible, ne demande pas que l'on dépasse sa condition corporelle sexuée pour vivre dès ici-bas comme des anges. Elle opère plutôt un double mouvement de confirmation et de relativisation de l'engagement dans le monde.

Puisque c'est ce monde-ci qui sera transfiguré dans le monde autre, le chrétien est profondément *confirmé* dans son désir de déployer dès maintenant toutes ses capacités créatrices et toutes ses puissances sexuées d'aimer. Mais ce déploiement prend des formes variées suivant les projets de vie qui animent les sujets et suivant leurs conditionnements psychosexuels et sociaux. Certains choisissent d'exprimer leur accueil du Royaume qui vient, entre autres, par la médiation d'un amour conjugal. Auquel cas, ils ont à vivre pleinement les trois dimensions relationnelle, érotique, procréatrice, attribuées par l'anthropologie et par l'Écriture à la sexualité. D'autres expriment leur suite du Christ dans un projet religieux ou presbytéral incluant un célibat, ou encore dans un style de vie qui s'efforce de donner sens à un célibat non désiré. Mais alors, si ces sujets cherchent à vivre dans la continence, ce ne doit pas être, selon un christianisme authentique, pour occulter la finitude corporelle en anticipant une condition de ressuscité qui serait asexuée. Ce doit être, comme pour tout autre chrétien « en vue du Royaume », c'est-à-dire pour être cohérent avec la logique du Règne de

30. Prenant souvent appui sur une lecture de *Mc* 12,25 et *1 Co 7*.

Dieu qui est une logique du service du plus pauvre et du respect de l'autre [31].

Précisément, dans la ligne de ce qui vient d'être dit, la conviction eschatologique opère aussi une *relativisation* de notre façon d'être au monde. Elle nous rappelle «qu'elle passe la figure de ce monde» (*1 Co* 7,31) et que viendra un Royaume où la seule loi sera celle de l'*agapè*. Dès lors, la sexualité doit subir, pas plus mais aussi pas moins que toute autre réalité humaine, la relativisation eschatologique. Ce sont tous les attachements sexués de l'être humain qui doivent être examinés à la lumière du Royaume qui vient: les liens affectifs aux parents, les désirs et les refus d'enfants, la façon d'assumer la paternité ou la maternité, la relation conjugale ou amicale. Qui ne perçoit alors que ces liens ont souvent tendance à être survalorisés voire absolutisés ou au contraire dévalorisés? Pour s'en rendre compte, il suffit de considérer, par exemple, l'attente excessive de nombreux couples occidentaux par rapport à leurs enfants, attente qui est parfois proprement inhumaine tant elle fait de ceux-ci des quasi-objets de consommation [32].

Amour et loi

La morale chrétienne instaure donc l'amour comme critère dernier de la qualité de la vie sexuée. Cet appel à la morale de l'amour devrait, en apparence, désarmer définitivement ceux qui jugent déshumanisante la vision chrétienne de la sexualité. Pourtant bien des anthropologues ne manquent pas encore de soupçonner le thème de la primauté de l'amour d'être lui-même cause de dysfonctionnements sexuels; ceci

31. Pour une explication de ce propos, je renvoie à mon article: «Les célibats, risques et chances», in *Études*, mai 1980, 659-677. J'y montre l'ambiguïté de l'usage du thème eschatologique pour la justification de l'existence du célibat.

32. Cf. L. Roussel et O. Bourguignon, *Générations nouvelles et mariage traditionnel*, Paris, 1979.

pour diverses raisons qu'il est impossible de passer en revue ici. Signalons au moins que, selon certains psychanalystes, l'aphorisme de saint Augustin «aime et fais ce que tu veux» pourrait bien fonctionner de façon perverse parce qu'il inclurait la dénégation de la loi. M. Safouan n'hésite pas, par exemple, à affirmer: «Ce que la religion ménage dans l'absolu de l'affirmation de l'Amour, c'est la négation de la loi [33].» Or, l'anthropologie contemporaine, tant au plan social qu'au plan individuel, a fait saisir l'importance fondatrice de la loi pour le surgissement du sujet humain sexué. Si le petit d'homme devient être de parole, c'est, entre autres, parce qu'il se heurte à l'interdit de l'inceste. S'humaniser, devenir homme ou femme, c'est toujours par l'effet de la loi de la culture et du langage amorcer une opération de différenciation d'avec son origine. L'étymologie latine du mot «chaste» est à cet égard très parlante: *castus* est antinomique de *incastus* (incestueux). Du point de vue de la morale prenant pleinement en compte l'humain, la chasteté serait donc ce qui permet à un sujet de vivre sa sexualité de façon telle qu'il construit ses relations aux autres et au cosmos, dans la reconnaissance des différences radicales qui le structurent. La chasteté est donc, dans le domaine de la sexualité, refus de la toute-puissance, de l'indifférenciation, de l'emprisonnement dans l'imaginaire. On voit immédiatement les applications d'une telle vision à différents secteurs de la vie: est non chaste une amitié ou un amour qui se bâtit sur un mode fusionnel; est non chaste une vie qui cherche à fuir tout plaisir: en effet, celui-ci, dans la mesure où il fait perdre momentanément la maîtrise de la volonté, est rappel de la non-toute-puissance du sujet; est non chaste une vie sexuée qui refuse l'altérité du temps en ne tolérant pas les lenteurs de l'évolution de l'autre et de soi-même ou en évitant tout engagement; est non chaste une parenté qui utilise l'enfant pour saturer le désir; etc.

La vision chrétienne de la sexualité refuse-t-elle cette conception anthropologique, si riche, de la chasteté? Bien au

---

33. M. SAFOUAN, *Le Structuralisme en psychanalyse,* Paris, 1968, 74.

contraire ! Les études ne manquent pas aujourd'hui qui montrent qu'être chrétien, c'est tenter pleinement de rentrer dans le dessein créateur et rédempteur de Dieu. Or, ce dessein de création est présenté dans l'Écriture comme une opération de séparation à partir d'un tohu-bohu (*Gn 1*), ou encore comme l'imposition d'un interdit (*Gn 2*) qui permet l'accession à la reconnaissance de l'altérité de l'autre sexe et de l'altérité de Yahvé. Quant au dessein rédempteur, il redonne aux êtres humains la possibilité de communiquer (*Ac 2*) entre eux et avec Dieu au cœur d'un monde où le péché sème la confusion. La morale de l'amour, loin d'être une invitation à la perversion qui ferait refuser le roc de la réalité qu'est la différence, constitue une constante invitation à prendre au sérieux toutes les médiations humaines et par-dessus tout celle de la différence sexuelle. Il est donc possible au théologien d'établir qu'il y a en droit des convergences profondes entre les exigences éthiques surgies d'une réflexion anthropologique sur ce qu'est l'humain sexué et les exigences surgies d'un christianisme qui retourne résolument à ses sources scripturaires.

Une morale du tout ou rien ?

Cependant, un reproche radical subsiste envers la morale chrétienne. Ne s'élabore-t-elle pas selon une problématique du tout ou rien ? Du coup, n'est-il pas vrai que des millions d'êtres humains qui ont des organisations psycho-sexuelles définitivement atypiques (homosexualité, immaturités stables de différentes sortes) ne peuvent trouver dans la vision chrétienne normalisatrice de la sexualité qu'une source d'ascèse irréaliste et de désespérance ?

La réponse à ces questions doit être nuancée. C'est incontestable, le discours chrétien contemporain sur le sexe se constitue encore trop comme si tous les hommes et toutes les femmes pouvaient, au gré de leur volonté, accéder à une sexualité qui ait dépassé toute inhibition, toute compulsivité, toute fixation dans une organisation immature. L'anthropologie des chrétiens oublie encore trop souvent que l'inconscient existe avec ses multiples pressions. Par exemple, combien de fois les moralistes n'invitent-ils pas, de façon irréaliste, à sublimer les pulsions, oubliant que le concept de sublimation est fort peu précis dans la théorie freudienne et surtout que ne sublime pas qui veut ?

L'Église a donc à trouver un discours théologique et pastoral qui prenne pleinement en compte les formes a-normatives mais indépassables que prend parfois la sexualité. Mais, là encore, je pense que le théologien qui recourt aux convictions chrétiennes les plus centrales peut trouver de quoi ouvrir un tel discours. En effet, la bonne nouvelle qu'apporte le christianisme est que les mal-portants, les petits, les « boiteux » sont les premiers destinataires des promesses du salut. Cette nouvelle vaut évidemment aussi pour les « mal-portants » de la sexualité. Ces derniers en écoutant la Parole de Dieu peuvent donc apprendre que la sainteté leur est accessible au cœur même des dysfonctionnements érotiques et relationnels qui sont les leurs. C'est pourquoi (toujours en droit) un christianisme humaniste, loin d'enfermer dans la désespérance, peut ouvrir un avenir à tout homme et à toute femme. Il montre qu'une morale conforme à l'Évangile n'exige pas une « normalisation » sexuelle à tout prix, mais appelle chacun, en tenant compte des aspects incontournables de son organisation psycho-sexuelle, à accueillir le Règne de Dieu.

L'ACTIVITÉ ÉDUCATIVE : UN CHEMIN VERS DIEU [34]

L'activité éducative : un « sacrement »

Toute la spiritualité salésienne [35] se déploie autour de *l'activité éducative.* D'une façon ramassée, on pourrait dire que pour l'éducateur salésien — et sans doute plus largement pour tout éducateur chrétien — la relation éducative est le lieu privilégié de son expérience de Dieu. Les théologiens contemporains affirmeraient, de façon un peu plus compliquée mais aussi plus riche, que l'activité éducative est comme un « sacrement » de la rencontre de Dieu. Cette affirmation pourrait s'appuyer sur ce verset d'évangile : « Qui accueille un enfant à cause de mon Nom, c'est *moi* qu'il accueille » (Luc 9,48). Cette parole du Christ signifie que c'est dans le même mouvement qu'on accueille en son Nom l'enfant et qu'on le reçoit lui, Jésus, le fils de Dieu. C'est pourquoi il est légitime d'affirmer que la tâche éducative chrétienne est

---

34. Ce chapitre est tiré d'un article publié dans la revue *Don Bosco Aujourd'hui* (mai-juin 1981, 13-20) destinée à la famile salésienne : aux éducateurs-religieux et religieuses, laïcs, parents d'élèves — pour qui Don Bosco est un exemple et un guide. J'entendais répondre à la question : existe-t-il une spiritualité propre aux salésiens et salésiennes de Don Bosco ? Et si oui, quelle est-elle ?

Il m'a semblé que ma réponse contenait des réflexions sur l'éducation susceptibles d'intéresser bien des personnes qui n'auraient pas tant de raisons de s'attacher à la question de départ. J'ai donc allégé le texte d'un certain nombre de références ou allusions à la personne, et aux méthodes de Don Bosco (1815-1888). Je ne les ai cependant pas toutes supprimées car Don Bosco reste un guide, une source d'inspiration pour tous les éducateurs chrétiens, bien au-delà de ceux qui se réclament explicitement de lui.

35. Il importe d'écarter un malentendu fréquent. La spiritualité de référence des salésiens et salésiennes n'est pas en *premier* lieu la spiritualité de saint François de Sales. Ce grand auteur spirituel sert, il est vrai, de repère permanent dans la formation et l'action des religieux de Don Bosco. Notamment, l'éducateur salésien essaie de vivre quelques traits importants de la vision évangélique de l'évêque de Genève : l'optimisme réaliste, la douceur, la bonhomie, la simplicité, l'humour, la rencontre du Christ au cœur de l'action, etc. Mais tout cela n'est pas en définitive ce qui organise l'expérience de Dieu que tente celui ou celle qui se réfère à Don Bosco.

comme un «sacrement», c'est-à-dire comme un «signe efficace» de la rencontre de Dieu. C'est au cœur de la relation éducative, quand elle se veut pleinement humanisante, que Dieu fait sentir sa présence active à l'éducateur. L'action éducative, pour un chrétien, n'est donc pas un à côté de la vie spirituelle, comme si celle-ci se vivait seulement dans les exercices de piété, dans la liturgie! L'action pédagogique est bien plutôt le constitutif essentiel de l'accueil du Christ ressuscité que l'éducateur cherche à vivre.

Les constitutions des religieux de Don Bosco, au nº 42, l'affirment d'ailleurs avec netteté: «le travail (éducatif) est la mystique et l'ascèse du salésien». La *mystique*, c'est-à-dire ce qui rend lentement accessible le mystère même de Dieu. L'*ascèse*, c'est-à-dire ce qui permet de modeler peu à peu la vie conformément à la parole évangélique. Ainsi se trouve proposé aux éducateurs un chemin original de rencontre du Christ, chemin qui prend pleinement en compte leur situation professionnelle ou familiale. Pour celui qui a mission d'éduquer, entrer dans la quête réceptive de la sainteté, c'est finalement tenter de déployer pleinement dans la relation avec le jeune la logique de l'Évangile qui est une logique de l'amour (en grec: l'*agapè*; cf. Rom 13,10).

Dieu: différent et semblable

Je voudrais essayer maintenant de montrer en quoi le travail éducatif chrétien est une mystique et une ascèse qui, ensemble, constituent une spiritualité fort originale. Dans ce but, je rappellerai tout d'abord, à la suite des plus grands spirituels, que faire l'expérience de Dieu, c'est toujours faire l'expérience de la différence et de la similitude. De la *différence* d'abord, parce que Dieu est le *Tout Autre* qui dépasse de si loin les possibilités de notre savoir qu'il reste toujours empreint de mystère: quand nous croyons avoir compris Dieu, nous devons encore prendre acte de ce que nos compréhensions de Dieu laissent échapper son être véritable.

Le prophète Isaïe le rappelle avec force en faisant dire à Dieu : « Haut est le ciel au-dessus de la terre, aussi hautes sont mes pensées au-dessus de vos pensées » (Is 55,9). Oui, rencontrer Dieu en vérité, c'est toujours s'affronter à une radicale différence.

Pourtant (véritable paradoxe !), faire l'expérience de Dieu, c'est aussi faire l'expérience de la *similitude* et de la proximité. Car Dieu a voulu que nous soyons créés à *son image*. Bien plus, il a en son Fils Jésus « partagé notre condition d'homme en toutes choses, excepté le péché », promettant de faire en nous sa demeure (Jean 14,23) et nous assurant que tout ce qui est fait à l'un des plus petits des hommes est fait aussi au Ressuscité (Mat 25,40). Décidément, pour rencontrer Dieu en vérité, point n'est besoin d'aller dans des espaces spéciaux chargés de sacré ! C'est d'abord dans la rencontre quotidienne de celui qui est à la fois notre *prochain* et notre *semblable* que nous rejoignons le Seigneur. Une juste spiritualité nous prémunit donc contre la tentation de faire de la vie chrétienne une fuite du monde présent.

Le véritable homme spirituel est en définitive celui qui arrive à vivre cette tension permanente entre la conviction que Dieu est « fuyant », différent, et la certitude que Dieu se donne à travers le semblable dans une proximité tout à fait extraordinaire.

Expérience forte de la différence et de la similitude, telle est donc l'expérience de Dieu. Mais telle est aussi, à un autre niveau, l'expérience de la relation éducative bien conduite. C'est pourquoi je tiens comme une thèse qu'une saine action pédagogique peut devenir pour l'éducateur un chemin privilégié vers Dieu, ou encore, comme je l'affirmais plus haut, sa mystique et son ascèse. Explicitons cette thèse.

L'éducation : une expérience de la différence

Un éducateur spécialisé me disait récemment : « Plus j'avance dans ma profession, plus je dois prendre acte que les jeunes ne cessent de me surprendre». De fait, cette réflexion traduit bien l'expérience de ceux qui éduquent des jeunes en les respectant profondément. Sous forme lapidaire, on pourrait dire que dans la relation pédagogique on est toujours trois: le jeune, moi et *la différence*, ou encore le jeune, moi et *le mystère*. Mystère, bien sûr, de l'être du jeune qui est devant moi; mais aussi mon propre mystère qui m'est révélé par la présence de ce jeune. Tel est un des paradoxes de la relation éducative: elle unit l'éducateur et l'éduqué en creusant les différences, en renvoyant chacun à découvrir qu'il échappe partiellement à la connaissance et au pouvoir de l'autre.

Que le jeune soit par bien des aspects radicalement autre que l'éducateur, est-il besoin de le souligner? Autre, il l'est d'abord par son *âge*. Des pédagogues l'oublient parfois. Un jeune, ce n'est pas un adulte en réduction. De celui-ci, il n'a ni l'expérience, ni les mêmes illusions ou désillusions. Bien plus, si le jeune est adolescent, il est traversé par des désirs contradictoires qui vont marquer toute son expérience humaine et le situer d'une façon parfois surprenante par rapport aux adultes. Recherchant son indépendance tout en la craignant, il va simultanément agresser son entourage et quêter l'approbation de certains de ses éducateurs. Découvrant de façon nouvelle la réalité sexuelle, il sera capable d'idéaliser l'autre sexe tout en ayant envers lui des paroles et des attitudes de mépris. Prenant peu à peu sa place dans le tissu social, il sera capable, par moments, de «rebâtir le monde» tout en se laissant aller, en d'autres instants, à une immense force d'inertie qui agace son entourage. Essayant de se forger une pensée personnelle, il rejettera en bloc les façons de voir de ses proches, quitte à tomber dans un incroyable conformisme en exécutant ce que proposent les copains ou telle mode présentée par les medias. Cherchant à créer de nouvelles relations dont l'imprévu lui fait cependant peur, il bavardera des heures durant avec des amis, quitte à s'enfermer ensuite dans des phases inquiétantes de mutisme.

Bref, pour mener convenablement une action éducative auprès d'un adolescent, il faut accepter d'être désarçonné et de jouer le jeu de la différence. Car éduquer un jeune, c'est affronter un monde où le rapport au corps et à la durée n'est pas le même que le nôtre, où la sexualité et la violence se vivent différemment, où les références culturelles et artistiques sont parfois déroutantes, où la façon de concevoir le travail et la réussite sociale est souvent en rupture avec celle de nos générations.

Ces différences massives entre lui et le jeune, l'adulte les supporte parfois très mal, à tel point qu'il essaie souvent de les nier de multiples manières. Il peut, par exemple, faire semblant de bien comprendre l'adolescent: «Moi ausi, j'ai été jeune!» Il oublie seulement que sa jeunesse à lui s'est en fait vécue différemment! Il arrive encore que l'adulte se rassure en s'identifiant stupidement au jeune. Il s'imagine alors pouvoir effacer les traces du temps en faisant siens, de façon artificielle, tous les goûts des jeunes. Il convient d'ailleurs, à ce propos, de dénoncer l'ambiguïté d'une parole de Don Bosco: «Aimez ce que les jeunes aiment». Comprise de manière étroite, cette consigne pédagogique est dangereuse, car elle risque de devenir pour l'éducateur une invitation à la régression ou au faux-semblant. En vérité, à cause de sa formation et de son expérience, l'éducateur pourra rarement aimer toutes les réalités qu'aiment les jeunes. Il vaudrait donc mieux traduire la consigne de Don Bosco par «Aimez que les jeunes aiment autre chose que ce que vous aimez».

Enfin, il arrive que l'adulte nie la différence des jeunes en se cabrant contre eux, en les enfermant dans une sorte de ghetto, voire en les dévalorisant. Toutes ces attitudes de défense certes fort diverses ont cependant en commun de traduire une peur de fond devant le surgissement de la nouveauté.

L'affrontement à la différence représente donc un risque puisqu'il peut inviter à s'enfermer dans des peurs malsaines. Mais à l'inverse, il peut représenter une véritable chance pour accueillir peu à peu le mystère de Dieu en accueillant le mystère du jeune. Il me semble en effet que l'altérité (ou la différence) vécue dans la relation éducative peut devenir, pour nous éducateurs, signe de l'altérité de notre Dieu qui ne cesse de nous éduquer. L'histoire des relations d'amour de Dieu avec l'homme peut effectivement être lue comme une longue et tumultueuse histoire d'éducation. La Bible ne nous révèle-t-elle pas en Dieu un remarquable éducateur qui ne cesse, avec une patience infinie, d'inviter l'homme pécheur à grandir en humanité ?

C'est précisément en méditant longuement sur cette éducation divine que Don Bosco va peu à peu mettre au point sa méthode éducative. L'Écriture présente-t-elle Dieu comme un créateur optimiste fier de sa création ? Alors Don Bosco gardera un optimisme foncier, quelles que soient les déceptions que lui apporteront certains jeunes. La Bible dévoile-t-elle Dieu comme un sauveur qui permet à l'homme de quitter l'aliénation de son péché ? Alors Don Bosco consacrera toutes ses énergies au salut des adolescents qu'il ne cessera d'inviter à la conversion par une douceur exigeante. La Révélation désigne-t-elle Dieu comme un Dieu de pardon ? Alors Don Bosco donnera toujours un avenir nouveau à tout jeune, même à celui qui s'est volontairement dégradé ou qui a failli à sa confiance.

Et l'on pourrait continuer ainsi la liste de toutes les caractéristiques de l'action éducative de Dieu qui ne cessent d'inspirer le fondateur des salésiens. Celui-ci invite l'éducateur à une sorte de va et vient permanent entre ce qu'il découvre de l'action de Dieu et ce qu'il comprend de l'action éducative. Saisissant que celle-ci ne peut se vivre que si l'on fait une confiance profonde au jeune, l'éducateur chrétien découvre mieux l'ampleur prodigieuse de la confiance d'amour que Dieu porte à l'homme. A son tour, cet approfondissement de la confiance de Dieu pousse l'éducateur à se fier au jeune, parfois jusqu'à la témérité, et ainsi de suite.

C'est à un tel cercle vital entre l'expérience de l'éducation divine et l'expérience de l'éducation humaine que la foi chrétienne invite l'éducateur. C'est pourquoi l'éducation est si chargée de valeurs spirituelles pour un chrétien. Mais c'est aussi pourquoi la découverte de Dieu que fait l'éducateur dans la prière rejaillit profondément sur son action éducative. Vie spirituelle et vie éducative conduisent notamment l'une et l'autre à cette certitude: l'autre est insaisissable, l'autre demande qu'on le respecte à fond. Prier, c'est accueillir un Dieu décidément insondable et libre qui me provoque à la vraie liberté. Éduquer, c'est accueillir un jeune toujours mystérieux qui me provoque à respecter son propre devenir. Prier et éduquer, expérimenter la vie en Dieu et expérimenter l'action éducative, c'est comprendre de l'intérieur que non seulement les différences sont ineffaçables, mais qu'elles font vivre.

L'éducation: une expérience de la similitude

Expérience de la différence et du mystère, l'action éducative est aussi une expérience de la *similitude*. Certes, comme on vient de le dire, le monde du jeune est fort étranger à celui de l'adulte. Cependant, il y a de grandes connivences entre ces deux mondes, tant et si bien qu'on peut tout de même parler de similitude et de proximité. D'où viennent donc ces connivences profondes? Essentiellement, semble-t-il, de deux réalités: notre *expérience infantile* et notre *filiation divine*.

Tout d'abord, il ne faut jamais oublier que nous avons été nous-mêmes enfants et adolescents. Or les recherches psychologiques nous laissent une certitude: l'infantile reste toujours présent de quelque manière en nous, ceci quelles qu'aient été nos expériences d'adultes. Éduquer, c'est donc accepter de prendre acte de tout ce passé qui fut mien et qui continue à me travailler de l'intérieur. C'est reconnaître que bien souvent je m'identifie à ce que vit le jeune parce que son vécu réveille en moi des désirs et dns anxiétés. De fait, être lucide dans l'action pédagogique conduit presque toujours à une série de constats: les interdits que je pose pour le jeune sont en fait des interdits que je pose d'abord pour moi; les protections que je mets autour de l'adolescent sont souvent des protections inconscientes envers ma personne; les modèles que je propose sont ceux qui me conviennent; les transgressions que je tolère sont celles que j'aurais souhaité pouvoir vivre, etc.

Le véritable éducateur, celui qui met sa joie dans la vérité (1 Cor 13,6), est vite obligé de constater que le don de soi dans l'éducation cache souvent une forte recherche inconsciente de soi, en raison notamment de l'infantile qui continue à exercer sa pression. C'est pourquoi l'éducation lucide est une véritable ascèse qui oblige à démasquer continuellement les pièges que nous tendent notre péché et notre excès involontaire de narcissisme. Là encore, on trouve une analogie entre ce qui se passe dans la relation éducative et ce qui se vit dans la quête de Dieu. Celle-ci, comme l'ont fait remarquer les grands écrivains chrétiens, ne cesse d'être «empoisonnée» par une recherche excessive de nous qui se saisit du don que Dieu fait de lui-même. La proximité de Dieu, la similitude que nous avons avec lui, au lieu d'être provocations à l'action de grâce joyeuse, deviennent alors des moyens inavoués de conforter notre quête de toute puissance. C'est pourquoi tous les grands saints, et évidemment Don Bosco, nous laissent comme un message: le cœur de la foi chrétienne, et même le «cœur» de Dieu, si l'on peut parler ainsi, sont *l'humilité*. L'humilité, cette vertu impossible qui disparaît quand on croit la posséder. Cette vertu qui me fait reconnaître que mes plus belles actions sont mêlées de motivations bien peu avouables. Cette vertu qui m'évite de me mirer dans mes pseudo-mérites pour me tourner vers le don que Dieu me fait. Cette vertu enfin qui me provoque à rire de moi-même tant elle me fait constater que je suis chargé de contradictions!

François de Sales et Don Bosco l'avaient bien compris: se soumettre à l'éducation de Dieu, c'est être mené à l'humble humour, et à l'accueil en nous et en l'autre de ce qui est bon et moins bon. D'où un trait typique de l'ascèse éducative salésienne: il faut toujours s'efforcer de faire les choses avec sérieux sans se prendre au sérieux! L'éducateur chrétien fuit la crispation et la dramatisation pour vivre la véritable insouciance (Mt 6,34) fondée sur la certitude que le Royaume de Dieu grandit même pendant son sommeil (Marc 4,27).

Une deuxième réalité nous garde semblables aux jeunes: *notre commune filiation divine.* Être éducateur chrétien, c'est d'emblée considérer le jeune non pas comme un être inférieur sur lequel il faut se pencher de façon hautaine, mais comme un être totalement aimé de Dieu, appelé au même titre que moi à devenir pleinement son fils adoptif. L'éducateur chrétien n'est donc pas comme celui qui sait devant lui qui ne sait pas. Il est plutôt celui qui chemine *avec* le jeune sur la route difficile de l'humanisation et de la sanctification.

L'exemple de Don Bosco est là encore très significatif. Il a su se faire petit devant l'action de l'Esprit Saint dans le cœur des jeunes qu'il éduquait. C'est ainsi par exemple qu'il a été capable de s'effacer pour permettre au jeune Dominique Savio d'accueillir pleinement l'amour du Christ.

Bien plus, l'éducateur chrétien va profiter de sa proximité et de sa similitude avec les enfants pour tenter de vivre le mieux possible cette parole du Christ: «Si vous ne retournez à l'état des enfants, vous ne pourrez entrer dans le Royaume des cieux. Qui se fera humble comme ce petit enfant, voilà le plus grand dans le Royaume des cieux» (Mat 18,3-4). Cette interpellation de Jésus ouvre à l'éducateur un chemin ascétique remarquable. Il s'agit pour lui, adulte, de retrouver, grâce à l'action de l'Esprit, l'attitude de l'enfant devant Dieu. Comprenons bien. Le Christ n'exalte pas tout ce que vit l'enfant. L'éducateur sait d'ailleurs mieux que quiconque que l'enfant est loin d'être une créature parfaite et totalement innocente! Si besoin était, la doctrine du péché originel et les recherches des sciences humaines le protégeraient d'ailleurs d'une vision si simpliste de l'enfance. La demande du Christ est bien plutôt que nous acceptions de reconnaître que, devant Dieu, nous sommes toujours comme les petits enfants devant les adultes, en position de radicale dépendance libératrice et en situation de devoir accepter, pour vivre, le don de l'amour.

Notre sainteté n'est pas le résultat de notre propre effort éducatif, mais le résultat de l'«effort éducatif» de Dieu à notre égard. Tel est le renversement de perspective que nous demande d'opérer la parole évangélique.

On le devine, ce renversement conduit lui aussi à l'humilité. S'il parcourt la voie de l'enfance spirituelle, l'éducateur ne pourra plus s'installer dans une position hautaine face à ceux qu'il accompagne. Sûr en effet que chacun, jeune ou moins jeune, est totalement grâcié par Dieu, convaincu que le Seigneur fait des merveilles dans le cœur des plus petits, il se mettra d'autant plus à l'écoute des jeunes que ceux-ci auront une âme et une situation de pauvres. Il lui arrivera alors, comme cela est arrivé à Don Bosco, de s'émerveiller devant l'action de l'Esprit dans certains jeunes. Bien plus, il pourra à certains moments faire pleinement sien ce cri de jubilation de Jésus: «Je te bénis, Père, d'avoir caché cela aux sages et aux habiles et de l'avoir révélé aux tout petits» (Mt 11,25).

Ainsi, la foi chrétienne permet de prendre à bras le corps le réel de la relation éducative pour en faire un chemin vers Dieu; chemin qui nous fait reconnaître le Créateur de l'univers comme le Tout Autre, mais aussi comme le Tout Proche.

LITURGIE ET MORALE [36]

Liturgie et morale! Deux termes que bien peu de chrétiens sont habitués à voir associés. Qu'y a-t-il de commun, en effet, entre la célébration de Dieu que prétend réaliser la liturgie et la régulation de la vie quotidienne en société que propose la morale? Peu de chose en apparence! Et pourtant, un certain nombre de signes perceptibles par tous devraient faire soupçonner à nos contemporains qu'il y a une fécondation mutuelle de la morale et de la liturgie. Par exemple, est-ce un

---

36. *Études* — Juin 1982 (356/6)

hasard si les enquêtes sociologiques montrent que ceux qui fréquentent régulièrement les liturgies de l'Eglise catholique ont plus tendance que d'autres à voter pour les partis politiques de droite ? N'est-il pas significatif que les prises de position traditionnelles en matière de morale sexuelle viennent souvent des personnes qui ont gardé une forte nostalgie pour la liturgie préconciliaire ? N'est-il pas clair que la restructuration profonde des rites de l'Eglise catholique à laquelle on assiste depuis quelques décennies est accompagnée d'un réaménagement parfois radical des mœurs et d'un désir de modification d'un certain nombre de règles éthiques séculairement admises ? Ainsi, même aux yeux d'un observateur non spécialiste, il apparaît, pour parler de façon lapidaire, qu'on a presque toujours la morale de sa liturgie et la liturgie de sa morale.

Ces quelques pages voudraient examiner de façon sommaire — il y a là matière à un livre entier — ce cercle liturgie-morale chrétienne, et faire apparaître que la morale chrétienne ne doit jamais, sous peine de sombrer dans un légalisme aliénant, être déconnectée de ses racines mystiques.

Quelques données anthropologiques

Selon Vatican II, la liturgie peut se définir comme « l'exercice de la fonction sacerdotale de Jésus-Christ, exercice dans lequel la sanctification de l'homme est signifiée par des *signes sensibles* [...] et dans lequel le culte *public* intégral est exercé par le corps mystique de Jésus-Christ » [37]. Autrement dit, la liturgie est l'expérience ecclésiale dans laquelle s'opèrent, de façon visible, publique et sensible, le don que Dieu fait de lui-même à son peuple et la réponse communautaire de foi provoquée par ce don.

La liturgie n'a pas le monopole du culte rendu à Dieu, car tout chrétien le rend aussi dans sa prière individuelle, mais sa

37. *Sacrosanctum Concilium,* n. 1. C'est moi qui souligne.

spécificité est de célébrer Dieu à travers des actes publics, communautaires, qui mettent en œuvre des symboles et des *rites.* Pour cette raison, la liturgie, véritable « mise en drame » de « l'épopée » divine, touche en chacun des membres de la communauté, outre des zones inconscientes, son rapport plus ou moins bien élucidé à la société. Chercher à mieux comprendre l'influence de la liturgie sur l'éthique, c'est donc d'abord réfléchir sur le lien entre la ritualité et la façon de vivre des communautés humaines [38].

Ritualité et Société

Selon les recherches de nombreux anthropologues [39], il apparaît qu'il existe une sorte de boucle rétroactive entre le rituel religieux et le système social qui le fait sien. Certes, le rituel, étant en partie le reflet des rapports sociaux existants, possède, sous un certain aspect, une dimension profondément conservatrice. Mais, en même temps, il est « une réaffirmation périodique des termes dans lesquels les hommes d'une culture donnée doivent se comporter les uns vis-à-vis des autres pour qu'il y ait un minimum de cohérence dans la vie sociale » [40]. En ce sens, la ritualité est déjà chargée d'un *devoir*-faire et invite donc l'homme à un avenir non purement répétitif: en montrant ce qui aurait dû être, le rite effectue une lecture critique de ce qui est. D'emblée, une provocation éthique se dégage de la célébration rituelle de la vocation humaine qu'opère le rite ou la liturgie. Un contrôle mutuel du rite et des échanges sociaux existe donc toujours. Quand ces derniers se modifient en profondeur, le rite est comme contraint de s'adapter par un nouveau maniement du

---

38. Il ne manque pas aujourd'hui d'études anthropologiques sérieuses qui ont procédé à une telle réflexion. Comme il ne saurait être question ici de les passer toutes en revue, je me contenterai de signaler quelques-unes de leurs conclusions. Pour plus amples informations, je renvoie à l'ouvrage de L.-M. CHAUVET, *Du symbolisme au symbole*, Cerf, 1979.
39. Par exemple, M. DOUGLAS, R. BASTIDE, V. TURNER.
40. V. TURNER, cité in L.-M. CHAUVET, *op. cit.*, p. 165.

langage et du symbolisme [41]. Mais il en est comme si le rite, toujours reçu de la tradition, véritable «index pointé vers l'origine», trouvait en lui-même une capacité étonnante de résistance aux représentations sociales dominantes; résistance qui lui permet précisément d'être dans la société un facteur de distanciation. Par la célébration rituelle, la communauté est acculée à se remémorer son origine fondatrice et, plus largement, son passé devant Dieu.

Remémoration qui peut s'avérer «dangereuse» pour le maintien des idéologies dominantes vécues dans le présent. Ainsi en est-il, comme on le verra mieux plus loin, de la remémoration liturgique du sacrifice du Christ sur la Croix qui vient démasquer l'aliénation provoquée par nos sociétés injustes. Conservateur et provocateur à la fois! Tel est bien un des paradoxes du rite. On comprend mieux qu'il soit conçu par telle société, à tel moment de son histoire, tantôt comme un danger qu'il faut éliminer, tantôt comme une chance qu'il faut à tout prix maintenir. L'ambivalence de nos contemporains envers les célébrations est un excellent symptôme de l'antagonisme qui habite la ritualité. Celle-ci est rassurante, puisqu'elle invite au maintien de la tradition par une certaine réactivation des forces régressives de l'imaginaire. Mais elle est aussi dérangeante, parce que cette régression a en fait pour but de mieux inscrire le groupe qui célèbre dans le champ symbolique de la communication humaine, c'est-à-dire, finalement, dans le champ d'une véritable éthique [42].

Rite et Sacré

Ces quelques notations font déjà soupçonner le lien entre le rite et l'agir éthique. Mais celui-ci apparaît encore plus

---

41. Que l'on songe, par exemple, aux transformations rituelles qui ont accompagné, dans l'Église catholique, les bouleversements sociaux des années soixante.

42. Ainsi R. Bastide montre que les apparentes régressions sexuelles dans les rituels d'initiation en Australie sont une façon pour l'homme d'inscrire la sexualité dans le champ symbolique. Cf. *Encyclopédie de la sexualité*, Ed. Universitaires, 1973, p. 470.

clairement quand on se rappelle que le rite religieux a un rapport très étroit avec la régulation du *sacré* dans la société. Le sacrifice semble bien en effet être au cœur de tout système rituel religieux. Les recherches de René Girard peuvent apporter ici des lumières réelles. Il est vrai que cet auteur a tendance à simplifier la notion de sacrifice, à définir l'homme de façon excessive par la violence et le désir mimétique, à oublier quasi totalement la place de la fonction langagière dans la régulation sociale [43]. Il n'en reste pas moins qu'il a souligné avec à-propos qu'une même fonction essentielle habitait le religieux et la morale: empêcher la violence de se déchaîner [44].

Le sacrifice, centre de la ritualité religieuse, est en effet, selon Girard, le moyen qu'a trouvé la société pour établir des relations paisibles entre ses membres en écartant l'anarchie provoquée par le cercle de la vengeance sans fin. Ce cercle est rompu quand la violence meurtrière, de réciproque qu'elle était, devient unanime contre une victime émissaire. La société est donc fondée sur un premier meurtre collectif. Et le sacrifice ritualisé est une forme de violence collective qui reproduit l'unanimité de ce meurtre en renouvelant ses effets bénéfiques. La ritualité, par un mécanisme *ignoré* de celui qui le vit, assure donc une protection de l'homme contre sa propre violence. Or, une telle protection est bien aussi un des objectifs des interdits et préceptes éthiques. Aussi faut-il s'attendre à une mutuelle dépendance du sacré et de la morale. Quand le sacrifice perd son efficacité, ou encore quand l'homme démasque la violence occulte du mécanisme sacrificiel, la morale, avec son système judiciaire, doit prendre le relais. C'est bien ce qui se passe, selon Girard, dans nos

---

43. On pourra lire des critiques de R. GIRARD dans *Lumière et Vie*, n. 146. 1980.

44. «Les conduites religieuses et morales visent la non-violence de façon immédiate dans la vie quotidienne et de façon médiate, fréquemment, dans la vie rituelle, par l'intermédiaire paradoxal de la violence. Le sacrifice rejoint l'ensemble de la vie morale, mais au terme d'un détour assez extraordinaire» (*La violence et le sacré*, Grasset, 1972, p. 38).

sociétés occidentales marquées par une crise profonde du sacrifice, en raison, notamment, de l'influence du christianisme [45]. Dès lors, «il faut se réconcilier sans le sacrifice ou périr» [46].

Identifier purement et simplement le sacré et la violence est sans doute simplificateur. Mais force est bien de constater que la désacralisation d'un certain nombre de rites chrétiens est allée de pair avec une évolution de l'éthique qui a envisagé autrement le problème de la violence et du conflit. Une étude intéressante serait à faire sur la corrélation éventuelle existant dans notre société entre les déplacements du sacré et les déplacements des intérêts éthiques des chrétiens. On y découvrirait probablement que la réforme des *sacrements* et la désacralisation des ministres du culte sont en liaison étroite avec le surgissement d'une morale privilégiant la communion interpersonnelle et la non-violence.

Rites et images du corps

«Re-présentification» d'un passé qui provoque à une prise de responsabilité, canalisation du sacré et de la violence, la liturgie est encore action d'une communauté *hiérarchisée.* Selon cet aspect, la liturgie induit aussi un certain type d'éthique. Pour ne nous attarder qu'à un seul exemple, considérons combien l'*image du corps* qui sous-tend la célébration cultuelle exerce une influence réelle, quoique subreptice, sur les comportements éthiques du chrétien. Les anthropologues ont en effet remarqué qu'il y avait fréquemment une interaction entre la façon dont une société se vit comme corps et la façon dont les sujets se comportent envers leur propre corps. Or, dans le déroulement d'une liturgie, d'une eucharistie notamment, s'impose au chrétien une certaine conception du corps: le corps eucharistique du Christ est sacralisé ou non, touchable ou intouchable; l'organisation du corps ecclésial

45. Cf. *Des choses cachées depuis la fondation du monde*, Grasset, 1978.
46. Esprit, novembre 1973, p. 554.

privilégie soit la tête, en la personne du prêtre, soit les membres que sont les laïcs ; le thème du corps mystique du Christ est invoqué ou non pour occulter ou révéler les conflits existant dans la communauté. Il est frappant de constater que la prise en compte récente du corps dans la morale chrétienne s'est précisément accompagnée d'une série de modifications dans la manière dont la communauté se vit comme corps : le thème du corps mystique est de plus en plus rarement évoqué ; la « tête » du corps communautaire qu'est le prêtre a perdu de son pouvoir hiérarchique au profit des membres ; et le corps eucharistique lui-même est devenu plus accessible et touchable par tous. Au-delà de la seule eucharistie et dans la même ligne, on pourrait chercher à discerner comment le rapport nouveau des chrétiens contemporains à leur corps est à la fois source et symptôme de l'évolution radicale des liturgies pénitentielles.

Il serait possible de poursuivre longuement l'analyse des raisons psycho-sociologiques qui expliquent l'existence du lien étroit entre liturgie et comportement éthique. Notamment, il serait intéressant d'examiner la répartition des pouvoirs dans la communauté célébrante, la place faite aux médiations humaines dans la rencontre de Dieu, l'utilisation du sentiment collectif et individuel de culpabilité, etc. Mais les quelques données anthropologiques que nous venons de présenter auront sans doute suffi à montrer que le moraliste a tout intérêt à élucider au mieux le système éthique que ne manquent pas d'induire les célébrations liturgiques de son Eglise.

Culte et morale selon la Bible

Si l'on se place maintenant d'un point de vue biblique, il apparaît clairement que les séparations modernes apportées par l'histoire de la théologie entre éthique, dogmatique et liturgie ne sont pas très fondées. Dans l'Ecriture, il y a intrication entre la morale et le culte. En cela, d'ailleurs, le judaïsme biblique et le christianisme s'inscrivent dans la ligne de la plupart des religions. L'attitude religieuse provoque en effet chez le croyant la certitude qu'il y a dans l'Univers une Présence plus grande que l'Homme. Celle-ci exige de lui une vénération qui se traduit non seulement par une ritualité cultuelle, mais aussi par l'observation d'une éthique spécifique [47]. L'*indicatif* utilisé pour rendre compte du savoir religieux sur la divinité et sur l'homme fait toujours surgir un *impératif* pour la vie en société [48]. Bien plus, le sens des vérités perçues dans l'expérience religieuse ne se découvre qu'en *produisant* une action [49].

Ainsi, en Israël, un lien intime unit l'élection opérée par Dieu, le culte rendu par le peuple et les commandements éthiques. De même, dans l'Ecriture, morale, liturgie et histoire sont inséparables. Quelques brèves réflexions sur le Décalogue, centre de la loi juive et repère moral constant dans toute la Tradition de l'Eglise, nous aideront à mieux le percevoir.

Culte et morale dans le Décalogue

Les exégètes nous ont appris que le Décalogue [50] occupait, du temps des Juges et même plus tard, le centre et le sommet d'une célébration très solennelle, la fête du renouvellement de l'alliance qui avait lieu tous les sept ans (Dt 31,10 s). D'ailleurs, dans le livre de l'*Exode*, la proclamation des dix paroles

---

47. Cf., par exemple, S. Morenz, *La religion égyptienne*, Payot, 1962, ch. VI.

48. «L'énoncé 'Tu es ceci' n'est pas en vérité une simple affirmation, mais un appel à toi pour que tu fasses de toi ce que tu sais que tu peux être», fait remarquer, par exemple, A.J. Toynbee à propos des éléments qui lui paraissent communs à toutes les grandes religions (cf. *La religion vue par un historien*, Gallimard, 1963, p. 272).

49. Pour reprendre une expression de Lévinas, sortie de son contexte, on peut affirmer que, dans la religion, «l'éthique est une optique spirituelle» (*Totalité et infini*, La Haye, 1974, p. 51).

50. Pour une étude du Décalogue, on peut consulter: R. Lavoie, *Exégèse du Décalogue. Influence de sa morale chez les prophètes et dans l'histoire de la cathéchèse*, thèse de doctorat de troisième cycle, Paris, Sorbonne, 1981. Ici, je ne considère que la version d'Ex 20.

de Yahvé suit immédiatement le récit de proposition de l'Alliance faite au peuple d'Israël par l'intermédiaire de Moïse, montant sur le Sinaï. La liste des commandements de Dieu a donc pris forme dans une situation liturgique où le peuple faisait l'expérience de la «contemporanéité des actes salvateurs de Dieu» [51]. Les préceptes éthiques étaient ainsi comme enchâssés dans la joyeuse nouvelle d'un Dieu qui se plaît à choisir un peuple pour le sauver. Cela ressort de façon encore plus nette quand on prête attention à la structure même du Décalogue en *Exode* 20,1-17.

Le passage commence par une sorte de verset-préface que les chrétiens ont trop négligé : «Moi, je suis Yahvé ton Dieu qui t'ai fait sortir d'Egypte, de la maison de servitude» (v. 2). Ce verset rappelle donc, d'une part le Nom spécifique du Dieu d'Israël, d'autre part le fait que Yahvé est un Dieu qui, gratuitement, a ouvert et ouvre chaque jour une histoire de libération. Ce double rappel, qui inaugure la liste des commandements, est important d'un point de vue anthropologique.

En premier lieu, le nom de Yahvé apparaît en quelque sorte comme «un signifiant absolu, délié de tout lien avec les concepts qui pourraient lui servir de signifiés» [52]. Dès lors, «invoquer le nom de Dieu» (Ac 2,21 ; 9,21), c'est être confronté à une Altérité absolue et ne pas vouloir rentrer dans un effort purement spéculatif qui *enferme* Dieu dans des concepts bien ciselés. Invoquer Yahvé, c'est plutôt, dans la reconnaissance joyeuse de ce «Nom au-dessus de tout nom» (Ph 2,9), être amené à inscrire sa trace, de façon originale, dans l'espace et le temps.

En deuxième lieu, le Décalogue ne débute pas par une définition métaphysique d'un Dieu dont les volontés se présenteraient à l'homme comme une fatalité. Il s'ouvre par le rappel d'un Nom dont la révélation (Ex 3,14-17) a été et reste pro-

---

51. G. von Rad, *Théologie de l'Ancien Testament*, t. 1. Labor et Fides, 1965, pp. 92-93.

52. A. Delzant, *La communication de Dieu*, Cerf, 1978, p. 117.

vocation à une marche hors de la servitude. Ainsi, la connaissance de Dieu est toujours en même temps naissance à une *histoire* libératrice. La morale dans le Décalogue n'est donc là que pour permettre à l'homme de découvrir ce qui, dans son agir, est manifestement incohérent avec l'invocation du Nom de ce Dieu qui fait l'histoire. Revivre dans la liturgie les hauts faits passés de Dieu, c'est être provoqué à un avenir qui échappe aux servitudes et poursuit le mouvement créateur de l'agir divin.

Trois commandements positifs

Le cœur même du Décalogue explicite cela de façon étonnante. Rappelons son contenu :

— *Souviens-toi du jour du sabbat* pour le sanctifier (v. 8).

— Six jours *tu travailleras* et tu feras ton ouvrage [...] mais le septième jour est un jour de *sabbat* pour le Seigneur ton Dieu [...] car en six jours Yahvé a fait le ciel et la terre [...] il se reposa le septième jour... (v. 9-11).

— *Honore* ton père et ta mère [...] (v. 12).

Ainsi, les trois préceptes qui forment charnière entre les deux tables du Décalogue sont, à la différence de tous les autres commandements, formulés de façon *positive,* comme si le texte voulait nous faire comprendre quels sont les passages obligés d'une vraie vie dans l'alliance. De plus, ces trois préceptes concernent tous le *rapport* de l'homme *à son origine ;* rapport dont la psychanalyse nous a appris l'importance décisive pour l'existence du sujet.

Le premier précepte, sur l'observance du *sabbat* (v. 8), règle le lien de l'homme à son origine première : *Dieu.* Il pourrait se formuler ainsi : « Reconnais que tu n'es pas ton Créateur et rends un culte à ton Seigneur en prenant le temps de sanctifier le septième jour » [53]. Ce précepte est en définitive une invitation pour l'homme à reconnaître sa finitude radi-

53. Le sabbat était non seulement un temps de repos, mais aussi un temps privilégiant le culte. Cf. R. Lavoie, *op. cit.,* p. 93.

cale et à ne jamais absolutiser la maîtrise que Dieu lui a donnée sur la création. Il n'est donc pas étonnant que l'allusion au sabbat couronne la première table qui règle la vie de la communauté sous le règne de l'unique Seigneur, et qu'elle précède la deuxième table qui traite des relations entre les créatures : l'action humaine dans la société n'a de chances de ne pas s'aliéner que si elle n'oublie pas, grâce au culte, sa dépendance par rapport au Créateur. Autrement dit encore, pour le Décalogue, l'invocation du Nom dans la liturgie est ce qui empêche l'homme d'être fasciné par la puissance de son agir ; puissance qui peut être dévoyée, comme en témoigne la mise en garde de la première table contre la fabrication d'idoles (v. 4). En effet, *fabriquer* des idoles c'est, premièrement, pervertir l'action. Celle-ci, au lieu d'être utilisée pour faire croître l'humain, devient tentative de modeler du suprahumain devant lequel on va se prosterner. L'homme, plutôt que de se reconnaître créé par Dieu, se crée ses dieux, niant ainsi sa finitude. Deuxièmement, faire des idoles, c'est chercher à disposer d'un objet statique porteur d'une énergie divine qui reste sous le contrôle de l'homme. C'est vouloir tenir Dieu à sa merci ou encore lui refuser la liberté de se révéler quand et comme il veut dans le devenir d'une histoire salvifique. Se prosterner devant une idole, c'est toujours partiellement refuser le Dieu de l'histoire avec la responsabilité éthique que l'accueil de Celui-ci implique.

C'est pourquoi le deuxième précepte positif des versets charnières du Décalogue concerne précisément la responsabilité de l'homme vis-à-vis de sa maîtrise de l'histoire : « *Tu travailleras* six jours... » Là aussi le précepte vise le rapport de l'homme à l'une de ses origines. Le travail est en effet la médiation par laquelle l'homme transforme ce dont il a été tiré : le *sol.* Cela signifie qu'il n'est de saine position devant Dieu que celle où l'homme n'utilise pas l'invocation liturgique du Seigneur pour faire l'économie des médiations temporelles, sociales, politiques, économiques, psychiques... A ce propos, il est assez significatif que la première tentation de Jésus en *Luc* 4,3 consiste à vouloir se dispenser de la médiation du travail du sol pour obtenir du pain : « Tu peux utiliser magiquement ta parole de Fils de Dieu pour transformer ces pierres en pain », dit le diable. Le lien à Dieu est ici manipulé pour nier la condition humaine normale qui est celle de la maîtrise médiatisée du monde (Gn 2,15). En aucun cas, donc, selon le Décalogue, le culte rendu à Dieu dans la liturgie ne peut être délié de la communion avec le Seigneur vécue dans l'agir éthique de l'homme qui construit le monde [54].

La loi qui régule l'action de l'homme dans l'histoire trouve son contenu essentiel (Mt 19,18-19) dans les commandements de la deuxième table constituée surtout d'interdits quant à la façon de vivre les pulsions humaines les plus exigeantes : pulsions agressives, sexuelles, et pulsions d'emprise [55]. Mais cette liste d'interdits est comme préfacée elle aussi par un précepte positif, le troisième, dont nous avons parlé plus haut : *Honore ton père et ta mère.* Là encore, l'homme est renvoyé à examiner son rapport à son origine immédiate : ses *parents.* Rentrer de façon éthiquement responsable dans le champ social, dit le Décalogue, n'est possible que si l'être humain donne tout son poids aux « deux rocs de la réalité » que sont la différence des sexes et celle des générations ; différences portées toutes deux par les parents. Pour inscrire sa trace de façon fructueuse dans le monde, l'être humain doit d'abord se situer convenablement comme fils ou fille devant ceux qui sont à l'origine de sa propre histoire.

On le voit, ces quelques remarques sur le Décalogue, et notamment sur les trois préceptes positifs qui en forment le

---

54. Suivant la belle formule de G. Siegwalt : la communion cultuelle s'étend en communion de foi comme obéissance. Aussi « la loi sera-t-elle la forme que prend la grâce dans la confrontation avec le temps rempli ou la vie de l'homme » (*La loi, chemin de salut,* Delachaux et Niestlé, 1971, p. 101).

55. « Tu n'assassineras pas, tu ne commettras pas d'adultère, tu ne commettras pas de rapt, tu ne témoigneras pas faussement, tu n'auras pas de visées sur la maison de ton prochain... »

centre, nous confortent dans la conviction que les deux tables de commandements sont inséparables. C'est dire, pour parler de façon plus explicite, que l'amour de Dieu chanté dans le culte liturgique est absolument indissociable de l'amour du monde et des hommes vécu dans l'agir éthique. Quand, de façon vraie, l'homme célèbre en Dieu son origine créatrice et salvifique, il se prépare à établir un rapport humanisant à sa double origine terrestre : le cosmos et les autres. Réciproquement, quand il établit un lien éthique sain à la création, il est prêt à louer son Créateur qui « se rend visible dans ses œuvres » (Rm 1,20).

Ainsi, l'association faite par l'Ancien Testament entre la lecture de la loi et la célébration de l'Alliance anticipe, ou plutôt fonde, ce qui sera développé pleinement par la Tradition de l'Eglise au long des siècles [56], à savoir le lien entre l'action du chrétien et la célébration de son Seigneur : le Christ. Vatican II résume cette Tradition en s'exprimant ainsi : « La liturgie est le *sommet* auquel tend toute l'action de l'Eglise et en même temps la *source* d'où découle toute sa vertu. Car les labeurs apostoliques visent à ce que tous [...] mangent la *Cène* du Seigneur. [Réciproquement...] le renouvellement dans l'*Eucharistie* de l'alliance du Seigneur avec les hommes attire et enflamme les fidèles à la charité pressante du Christ » [57]. En insistant sur le cercle vital entre l'eucharistie, centre de la liturgie, et l'agir éthique, Vatican II fait comprendre que ce serait réduire la morale chrétienne que de lui assigner comme seul objectif d'aider l'homme à réaliser les vertus, spécialement celle de l'amour des autres. La morale serait alors coupée de son fondement et de sa visée mystique. En vérité, la fin dernière de l'éthique chrétienne est — pour paraphraser une parole de saint Paul (Rm 15,16) —

56. Il faudrait toutefois ajouter que le Nouveau Testament opère un important mouvement de désacralisation, ou plutôt de conversion du sacré, pour donner toute la place qui leur revient, dans la rencontre de Dieu, aux médiations profanes.

57. *Sacrosanctum Concilium*, n. 10. C'est moi qui souligne.

d'aider chaque homme à «devenir, par la grâce de Dieu, un officiant de Jésus-Christ auprès du monde, afin que ce monde devienne une offrande agréable à Dieu». Cette paraphrase montre que l'agir des chrétiens est à concevoir comme une sorte d'action eucharistique qui, par la force de l'Esprit, transforme le monde, en le soumettant à la Seigneurie libératrice du Ressuscité, pour l'offrir au Père. Pour rendre compte de l'essentiel de son éthique, le chrétien a donc la possibilité de discerner les implications morales de ce qui est vécu dans la liturgie, et principalement dans l'Eucharistie. Très brièvement, nous allons faire part de quelques conclusions de ce discernement.

Implications éthiques de l'Eucharistie

Une éthique de réponse

Selon la Bible, faire l'expérience liturgique, c'est d'emblée faire l'expérience d'être *précédé*. Comme le soulignent de nombreuses péricopes, et notamment le prologue du Décalogue, toute célébration de l'alliance est déjà réponse à une convocation divine parfaitement gratuite qui a créé un peuple en le faisant sortir de la servitude. Dans la liturgie chrétienne, loin de convoquer la divinité, le peuple invoque le Nom pour reconnaître qu'il est déjà convoqué par un Dieu qui lui demande de poursuivre une histoire de libération [58]. L'agir éthique du chrétien est donc une véritable subversion des morales «ascétiques», dans la mesure où ces dernières promeuvent des efforts persévérants et ordonnés d'autolibération se donnant pour but de produire un homme parfait. La morale chrétienne, elle, promeut une ascèse *réceptive* qui reconnaît pleinement l'action de l'Esprit (Gal 5); «l'homme nouveau», fruit de cette «ascèse», n'est pas celui qui peut se targuer de sa réussite humaine et religieuse, mais celui qui, du

58. Selon l'étymologie grecque, Eglise signifie «convocation».

sein même de ses faiblesses, laisse le Ressuscité déployer en lui la force de son Amour (1 Co 1).

La morale impliquée par la célébration liturgique aide donc l'homme à casser toute ambition prométhéenne de libération. L'effort humain n'est pas un acte qui cherche, comme le fait le culte devant une idole, à attirer la bienveillance divine. Il est bien plutôt action de grâces pour une bienveillance déjà là. Il est réponse active à l'appel de communion avec Dieu. On comprend alors l'accent mis par toute l'Ecriture sur l'attitude d'humilité et de pauvreté intérieure: l'homme chrétien est celui qui, comme Jésus, vit et meurt les mains ouvertes à l'Autre (Ph 2,6-11), au lieu de tenter, comme Adam, de refermer les mains sur le fruit qui donne la toute-puissance imaginaire des dieux (Gn 3).

Une éthique de la communauté

La célébration liturgique, et spécialement eucharistique, est par excellence un culte communautaire. Le peuple de Dieu y prend conscience, *comme peuple,* de l'alliance nouvelle et définitive que Dieu a scellée pour lui en son Fils Jésus par la coopération de l'Esprit. L'agir éthique chrétien n'est alors rien d'autre que la façon concrète dont la communauté va déployer dans le monde les conséquences de cette nouvelle situation devant Dieu: situation d'un peuple qui, en Christ, a retrouvé le pouvoir de «renaître d'en haut» (Jn 3,3) et de «posséder la vie éternelle» (Jn 3,16). La liturgie fait donc comprendre que l'éthique chrétienne cherche la glorification de Dieu par *l'édification de la communauté.* Tous les talents, tous les charismes (1 Co 12 et 14; Rm 12,3-13) doivent servir à structurer l'Eglise dans son accueil de Dieu. De même, les limites de la liberté de chacun sont d'abord celles apportées par le respect des limites et des différences des frères [59]. En

59. D'où la formule paulinienne: «Tout est permis, mais tout n'édifie pas. Que personne ne cherche son avantage personnel, mais celui d'autrui» (1 Co 10,23-24).

définitive, la règle qui régit l'agir chrétien est celle de la réciprocité : « Tout ce que vous désirez que les autres fassent pour vous, faites-le vous-même pour eux » (Mt 7,12). « Règle d'or » traduite parfaitement dans le précepte de l'amour (Rm 13,8-10), qui est autant au cœur de la morale chrétienne que la célébration de l'Amour est au cœur de l'acte liturgique. Il est d'ailleurs significatif que l'évangile de Jean, qui insiste tant sur le commandement de l'amour (Jn 13,34), est aussi celui qui remplace le récit de l'institution eucharistique, lors du dernier repas de Jésus, par le récit du lavement des pieds. Le lecteur de l'Evangile comprend ainsi qu'il est dans la logique de la célébration liturgique de régler la vie ecclésiale par l'humble service du frère.

Cependant, affirmer que l'éthique chrétienne est une éthique de la communauté ne signifie pas qu'elle a pour unique horizon le groupe ecclésial. Car la relation décisive entre la communauté ecclésiale et le monde n'est pas spatiale mais temporelle. L'Eglise n'aspire pas à elle-même, mais au Royaume de Dieu qui vient dans le monde et pour ce monde. L'éthique chrétienne, parce qu'ecclésiale, a en dernier ressort une visée universelle. Elle agit pour que se réalise le plus possible la venue du Règne que la liturgie sollicite dans la prière (Mt 6,10).

Une éthique de la « suite » du Crucifié

Réponse à une convocation, édification d'une communauté, l'action liturgique est encore « re-présentification » du mystère de la Croix. La contemplation priante du Crucifié vivant aujourd'hui rappelle au chrétien qu'en aucun cas son éthique n'est une éthique du livre. Le disciple de Jésus est désinstallé de sa tentation de rester un auditeur passif d'un message, pour être promu collaborateur du Royaume ayant, à la suite de son maître, à engager son avenir de façon cruciale. C'est pourquoi la morale évangélique ne saurait être une morale du « juste milieu », mais une morale de la *radicalité;* radicalité non pas dans l'anéantissement de soi, mais dans la confiance en Dieu et dans l'amour. Cela signifie que le chrétien est provoqué à se prononcer pour Dieu, même si cela lui attire des persécutions (Mt 10,26-30). Bien plus, il est appelé par la célébration liturgique du martyre de Jésus à accepter de témoigner jusqu'au don de sa vie (Jn 15,13).

Le mystère de la Croix rappelle encore que la morale chrétienne est toujours placée sous le signe d'une certaine *folie* (1 Co 1,17-31). C'est en effet souvent folie pour la « sagesse » du monde de mener le combat de la liberté avec les plus pauvres. Or, la Croix indique avec force que le critère par excellence d'une saine moralité ne réside pas dans la conformité aux modèles éthiques dominants d'une société ou encore dans une sorte de sagesse humaine procurant l'équilibre. Ce critère réside dans la solidarité effective avec ceux qui sont les délaissés et les opprimés de nos sociétés. C'est pour eux, en priorité, qu'est mort le Christ et c'est pourquoi toute célébration liturgique qui ne leur donne pas la première place est profondément incohérente (Jc 2,2-13).

Enfin, le mystère de la Croix vient rappeler à la communauté que la forme de mort de Jésus a été due au péché des hommes qui ont préféré condamner le juste plutôt que de faire place à la vérité et à l'amour. La croix s'avère être une épreuve de vérité pour le monde : celui-ci y découvre que, *laissé à lui-même,* il finit toujours par condamner l'innocent. C'est pourquoi la liturgie met l'accent sur la nécessité du *pardon* de Dieu et de la force transformatrice de l'Esprit, pour que l'homme puisse peu à peu actualiser sa filiation divine. Sont alors dénoncés et l'optimisme outrancier des morales de type rousseauiste [60] et le pessimisme de celles qui sont convaincues de la totale perversité de l'être humain. Au cours des célébrations, le chrétien apprend que son effort éthique est toujours plus une « rééducation » qu'une éducation. Mais il a aussi la certitude que, par le pardon efficace de Dieu, cette rééducation peut triompher des puissances du mal.

---

60. Dans le domaine de la psychologie, à la suite de l'école rogérienne, on voit renaître ce type de morale.

Rappel performatif d'événements passés, la liturgie chrétienne est d'abord actualisation de la victoire sur la mort de Jésus de Nazareth, victoire qui est prémices de la nôtre. La foi en la résurrection, élément constitutif de toute célébration, a des conséquences nombreuses pour situer l'originalité de la morale chrétienne. Pour ne signaler que la plus fondamentale, rappelons simplement ici que la liturgie est pour le chrétien expression et renforcement de sa certitude que le Royaume définitif est inauguré en Christ et trouvera pleinement son achèvement dans la cité dont «Dieu est l'architecte et le constructeur» (He 11,10). Dès lors, l'éthique chrétienne peut être qualifiée d'«éthique de *transition*», construite sur une dialectique de relativisation et de confirmation de l'importance du monde.

Là réside un des paradoxes de la liturgie: célébration de la Promesse déjà en partie réalisée du monde nouveau, elle est en même temps rappel constant «que la figure de ce monde passe» (1 Co 7,31). Autrement dit, elle provoque à une expérience dépouillante de la *précarité* du monde. C'est pourquoi l'éthique chrétienne pousse l'homme à «user du monde comme n'en usant pas». Le chrétien convaincu devrait être celui qui, «se tenant sur ses gardes pour être prêt lors du retour du Maître», agit sans jamais absolutiser une quelconque réalité humaine: argent, affectivité, pouvoir, prière, mérites, souffrance, visions du monde. Quand donc la morale chrétienne est en cohérence avec son expression liturgique, elle a un pouvoir très fort de relativisation des idéologies, des politiques et des institutions. On devine mieux pourquoi le «combat» en faveur d'une liturgie fidèle à ses sources scripturaires a toujours des effets de remise en question des stéréotypes sociaux dominants.

Ce pouvoir de relativisation du monde apporté par la foi célébrante s'accompagne pourtant d'une invitation à prendre encore plus au sérieux l'engagement dans la transformation de la société. Car l'eucharistie est l'affirmation que «le pain, *fruit du travail* de l'homme, est ce qui deviendra le corps du Ressuscité». La liturgie dévoile l'enjeu dernier de nos conduites: ce qui est le fruit de notre agir est précisément ce qui accédera, transfiguré, dans le Royaume définitif. La liturgie chrétienne révèle donc l'éthique humaine à elle-même, en lui révélant ce qu'elle a souvent tendance à oublier: son avenir eschatologique. En ce sens, elle augmente la responsabilité de l'homme, puisque ce n'est pas «dans cette vie seulement qu'elle a mis son espérance» (cf. 1 Co 15,19).

Toutefois, le danger subsiste de profiter de cette espérance fondée sur la Résurrection pour «affaiblir en nous le souci de cultiver cette terre». C'est le cas, notamment, lorsque la célébration liturgique de la Résurrection se vit sur le mode de la célébration mythique de la victoire de la Vie sur la Mort ou du printemps sur l'hiver: le chrétien n'a plus alors qu'à attendre passivement le «ciel», en se détachant peu à peu de «cette vallée de larmes».

Or, une bonne compréhension de la liturgie fait saisir que ce qui est célébré, ce n'est pas la Résurrection comme entité abstraite et mythique, mais c'est *Jésus de Nazareth* Ressuscité qui nous ouvre le chemin de notre résurrection. La Résurrection, dans le culte chrétien, ne prend son sens vrai que si elle est d'abord perçue comme réponse du Père à l'engagement fidèle du Jésus de l'histoire en faveur de tous les exclus et, en définitive, en faveur du monde entier marqué par le péché. Autrement dit, il n'est de véritable célébration pascale que celle qui est consciente que la Résurrection s'inscrit comme couronnement d'une action *historique* d'un homme-Dieu qui a pris le parti des plus faibles, des opprimés (Lc 4,16-21) [61]. Hantée par l'espérance pascale, la morale chrétienne est par le fait même mobilisatrice: elle donne l'assurance à celui qui lutte en faveur de la justice et de la

61. Il ne faut pas oublier non plus que l'eucharistie comme commémoration de la Pâque est aussi célébration d'un événement socio-collectif de libération d'un peuple (Ex 12).

reconnaissance du pauvre que son action est féconde, quand bien même elle se heurte au rejet des puissants.

Je dirais volontiers que toute éthique ancrée sur une *vraie* liturgie chrétienne comporte une réserve de pouvoir subversif des sociétés injustes. Mais elle a aussi un pouvoir subversif de celui même qui milite et combat, car de la liturgie ce dernier apprend que nul n'est au-dessus du péché. Celui qui milite se découvre comme n'étant pas le juge dernier de la qualité de son action ou du péché de son adversaire (1 Co 4,4-5): il ne faut jamais, dit saint Paul, «juger avant que vienne le Seigneur». Cette venue seule marquera l'heure où «ceux qui auront fait le bien sortiront des tombeaux pour une résurrection de vie, et ceux qui auront fait le mal, pour une résurrection de condamnation» (Jn 5,29). L'éthique chrétienne, habitée par la Promesse du don *gratuit* de l'Eternité, se trouve donc curieusement être une éthique qui contraint l'homme à prendre au sérieux la contingence du temps. S'en remettant à l'avenir ouvert par le jugement libre de Dieu, le chrétien ne doit ni ne peut jamais clore son histoire ou celle des autres en s'autojustifiant ou en «diabolisant» l'autre de façon définitive [62].

Cette dernière remarque rejoint une conviction qui a traversé toutes ces pages et que, pour conclure, je reformulerai ainsi: vivre le rite liturgique chrétien, comme vivre l'éthique, c'est faire une expérience radicale du *provisoire*. Je veux tout d'abord dire par là que rite et morale sont deux réalités éphémères qui n'ont de raison d'être que parce que l'homme est un «nomade» en attente de la venue définitive du règne de Dieu. A la fin des temps, en effet, il n'y aura besoin ni de rites, ni d'éthique. Mais le terme «pro-visoire» peut suggérer plus que la seule précarité. Si l'on se rappelle son étymologie, il peut alors nous signifier que liturgie et éthique sont comme des visions anticipées de la gloire de Dieu, visions qui s'inter-

62. Cf. les réflexions pertinentes de P. VALADIER, *Agir en politique*, Cerf, 1980, pp. 178-181.

pellent mutuellement. Quand le chrétien a trop tendance à croire que «la gloire de Dieu réside dans la seule vie de l'homme», la liturgie lui rappelle que «la vraie vie de l'homme c'est la vision de Dieu». Mais quand ce thème de la contemplation pousse l'homme à fuir dans le ritualisme religieux, alors l'éthique vient faire comprendre qu'il n'est de vision de Dieu en ce monde que dans l'*agir* moral envers l'autre, car, dit la troisième épître de Jean, «celui qui fait le bien est de Dieu, celui qui fait le mal ne voit pas Dieu» (3 Jn 11).

Table des matières

Achevé d'imprimer en octobre 1982
sur les presses de l'Imprimerie Saint-Paul
55001 Bar le Duc, France
Dépôt légal: octobre 1982
ISBN 2-7067-0078-5
N° 7-82-556